JK Ⅲ

松岡圭祐

角川文庫
23947

目次

鑢《やすり》になれ。敵を傷つけるたび、みずからは滑らかさに近づく鑢に。

――ジョアキム・カランブー（Joachim Karembeu 1922―2004）

『ＪＫ　Ⅱ』より続く

1

十六歳の飯島千鶴《いいじまちづる》は、パジャマの上から安物のガウンを羽織り、フローリングの隅で膝《ひざ》を抱えていた。

午前零時すぎ、室内の明かりは灯《とも》さなかった。暗がりに目は慣れている。引っ越し時に持ちこんだ古いカラーボックスは、この立派なタワマンの1LDKに似合わない。しかし千鶴はその後も家具をろくに買い足さなかった。リビングにはボロボロのソファがひとつ、寝室にもベッドと机だけがある。コンビニのポリ袋や、通販雑貨の段ボール箱、脱ぎ散らかした服が点在している。

スマホを持つ手が震える。怖い夢を見たあとはいつもこうなる。窓の外がやけに気になった。川崎《かわさき》臨海部、港町《みなとちょう》駅前に建つタワーマンションの高層階、人がのぞくはずもない。なのにときどきなんらかの気配を感じる。妄想だろうか。いまガラスの外には小雨が降るばかりだった。

呼び出し音が反復する。じれったい気分でまつうち、電話がつながる音がした。ひとつ年上の十七歳、有坂紗奈《ありさかさな》の落ち着いた声が応じた。「千鶴？」

「紗奈さん」千鶴は嗚咽《おえつ》にまみれた自分の声をきいた。「よかった。でてくれて」

「どうかしたの？」

千鶴は手で涙を拭《ぬぐ》いながらうったえた。「もう耐えられない」

「……なんで？」

「眠れない。うとうとしかけると夢ばかり見るの。まだ島にいて、火が燃えてて、大人たちが叫んでて」

「あー。わたしもそんな夢を見る」

「紗奈さんも？」千鶴はいっそう身を小さくした。「……だよね。わたしなんかより長く、あの島に……」

夢はほとんど現実だったが、体験していないことも多かった。姉のようにいくつか年上の少女らは、髪がぼさぼさで薄汚れた顔、ありあわせの農作業服姿だった。荒れた海に揺れるクルーザーの帰路、血まみれの船内で、彼女たちがつぶやくように明かした。三か月間、地獄を耐え忍びながら生き延びた、凄惨《せいさん》きわまりない日々を。

最初はわけがわからなかった。千鶴の実家は新潟だったが、父親の暴力に耐えかね、ひとりこっそり逃げだした。なけなしの金で上京したものの、拾ってくれた大人たちが斡旋《あっせん》してきたのは、身体を売るバイトだった。逃げようとしたら捕まり、鼻血を噴くほど殴られた。父の折檻《せっかん》と同じぐらいか、もっと強烈だった。

どういうわけか、顔がぱんぱんに腫《は》れあがった千鶴は、クルーザーで冨米野《ふめの》島へ送られた。同行したのは中高年男性ふたり。ひとりは前歯の抜けた、定職に就いているとも思えない老人。もうひとりはいくらか若く、黒縁眼鏡をかけた美容整形外科医で、杼馬《とちま》と呼ばれていた。

出発前、千鶴は全身麻酔で眠っているあいだ、杼馬に顔をいじられたらしい。むろん千鶴が要望してもいない手術だった。島民に売り飛ばされるにあたり、元のままの顔では都合が悪いと判断されたのだろう。

ところがクルーザーが到着すると、島の村落に火の手があがっていた。広範囲に炎上し、雨雲の漂う夜空を焦がしていた。島民らはひとり残らず惨殺されていた。言葉を失ったようすの老人や杼馬も、千鶴より年上の少女らに襲撃された。少女たちは農具や刃物類でふたりをなぶり殺しにした。

恐怖に震える千鶴の前に、少女らのリーダー格、有坂紗奈が立った。返り血を浴びた紗奈だったが、穏やかな表情で気遣いをしめしてきた。

冨米野島が輪姦《りんかん》島と呼ばれ、全国各地で反社に攫《さら》われた少女らが、ひそかに売り飛ばされる場所だと知った。紗奈がまず反乱を起こし、のちに到着した少女たちも追随した。三か月のあいだ、島内は戦《いくさ》さながらの修羅場だったという。紗奈たちは島民から追われるばかりではなかった。家屋を襲い、住人を血祭りにあげ、食糧を奪った。過去に島で犠牲になった少女たちの保険証カードも、大量に入手できた。

生還できた少女たちも、みな帰る家はなかった。誰もが家庭に複雑な事情を抱え、大半は行方不明者届さえだされていないと判明した。保険証をそれぞれ分け、新たな氏名を得たうえ、記載の住所からは遠く離れた場所に移った。住民票を得て、少女たちは十八歳以上の成人として、新たな生活を歩みだした。

千鶴と紗奈には、ほかの少女たちと異なる特殊な事情があった。同じ美容整形外科医に執刀されたからだろう、千鶴の顔の腫れがひくと、紗奈そっくりになった。男の漫画家が女のキャラクターについて、好みの顔以外に描き分けができないのに似ている。いまも近くに置いた姿見に、千鶴の泣き顔が映っていた。これが杼馬の嗜好《しこう》する目鼻立ちなのだろう。

「紗奈さん」千鶴は震える声を絞りだした。「ひとりはやだ。心細いよ」

かすかなため息が耳に届いた。紗奈の声が静かに告げてきた。「もうしばらく辛抱して」

「いつまで？　こんなんじゃ暮らしていけない」

「千鶴。みんな世のなかで人との軋轢《あつれき》に苦しんでる。いま千鶴はそれをしなくていい立場にあるの」

　恵まれた環境なのはたしかだ。千鶴はバイトひとつせずとも、同じ顔をした紗奈が、江崎瑛里華《えざきえりか》の名でユーチューブ動画をアップしてくれる。K－POPダンスの完璧《かんぺき》な再現で評判となり、チャンネル登録者数は七十万人に上る。江崎瑛里華の本名は遠藤《えんどう》恵令奈《えれな》、地元の川崎署もそう認識している。しかもいまは川崎を去った紗奈に代わり、千鶴が恵令奈として、このタワマンで暮らしていた。おかげで生活面にはなんの不自由もない。

　けれども心が荒《すさ》んでくる。遠藤恵令奈としてぼろをだすわけにいかず、したがって誰とも会えない。いっそ本名をばらしてしまいたいと思うこともしばしばあった。けれども実家から父が追いかけてくるかもしれない。やはり素性など明かせない。それ以前に、実名を伝えられる友達すらいない。

　千鶴は思いのままをささやいた。「学校へ行きたい」

　紗奈が難色をしめしてきた。「いまは無理……。千鶴は十九歳の遠藤恵令奈だし」

「わたし十六だよ？　十九のふりをするなんて難しすぎる」

「そうでもない。黙っていれば気づかれない。マイナカードは作った？」

「申請中。だけどだいじょうぶかな……」

「住民票も保険証も、わたしがとった運転免許証もそこにあるでしょ。顔写真も寸分たがわないんだし、なんの問題もない」

「レンタカー借りて運転していい？」

「だめ。運転できないでしょ」

「なら教習所に通いたい」

「それもだめ」

不満が募ってくる。千鶴は紗奈に問いただした。「なんで？」

「千鶴は……遠藤恵令奈はもう免許をとってる」

「だけどわたしは運転できないよ」

「十六だから当然。あと二年経ったらペーパードライバー教習にでかけて、そこで運転技術を身につければいい」

「どうしていまはだめなの？」

「川崎署は千鶴の指紋やＤＮＡを、遠藤恵令奈のものだって納得してる。だけどいま事故を起こしたりしたら、また慎重に調べ直そうとするかもしれない」

「そんなの……。紗奈さんが正体ばれるのを怖がってるだけじゃん」

「お願い、千鶴。いまのままならお互いに将来は困らない。しばらくは動画の収入で支えてあげられるし、その後はどっかに就職すればいい。新しい出会いもきっとある」

「いつから？　わたしは友達がほしい」

「心苦しいけど、当面はひとりで自主学習して。社会人になるとき、きっと役に立つから。二年経って、実年齢が十八になるまでに、歳相応の知恵や知識を身につけておくの。そうすれば問題なく独り立ちできる」

「いますぐに独り立ちしたいよ。遠藤恵令奈は十九だもん」

「千鶴。学校に通ってないぶんだけ、勉強は自分でする必要があるの。誰からも不自然に思われず、誰にも迷惑をかけないぐらいの自分になっておかなきゃ……」

苛立《いらだ》ちが募ってくる。千鶴は怒りをぶつけた。「紗奈さんは自分のことしか考えてない」

「ちがう」紗奈は穏やかな物言いで否定した。「千鶴の素性が発覚してほしくない。

実家の親に見つかってほしくない。それだけ」

胸の奥が強く締めつけられる気がした。紗奈がどれだけ千鶴のことを想ってくれているか、いまさらあらためて考えるまでもない。わかっていながら紗奈に当たり散らしてしまう。そんな自分が情けなくなる。

視界がまた涙に揺らぎだす。千鶴は泣きながらいった。「ごめんなさい。紗奈さん」

「謝らないで。不安なのはわかる。十六で別の人生を始めるんだもんね……」

「紗奈さんは強いけど、わたしは弱いし……」

「そんなことない。千鶴は強いよ。困難を乗り切ったんだし」

手もとに目が落ちる。千鶴はパールビーズのブレスレットをいじっていた。紗奈が作ってくれた手製のアイテムだった。白とピンクのパールが数十個、ゴムテグスでまとめてある。いつも身につけているせいでゴムが緩んできていた。ふだん歩いていても手首から抜け落ちそうになる。

「ねえ、紗奈さん……。会いたい。こっちへ帰ってこれない？」

理由をきかれたら、ブレスレットのゴムが緩いから直してほしい、そう告げるつもりだった。本当は甘えたい。ただ会いたい。

紗奈の声が困惑ぎみにささやいた。「それは無理……」

「ならわたしが紗奈さんのところへ行く。いまどこにいるの?」

「千鶴……。どこかで会ったら遠藤恵令奈がふたりになっちゃう。江崎瑛里華として顔を知られてる女がふたりに……」

沈黙が生じた。千鶴は目を閉じ、深いため息を漏らした。

ごねるばかりで紗奈に迷惑をかけている。わがままな自分に気づいていながら、それでもどうすることもできない。ひとりでいることに耐えられない。人生そのものが嘘だ。名前から年齢までなにもかも偽っている。誰ともろくに口をきけない。学校にもバイトにも通えない。食べることに困らなくても、いつもデリバリーばかりだ。一歩も外へでない日が多い。ひとことも喋《しゃべ》らない日もめずらしくない。

とはいえ紗奈がしてくれたことは、すべて千鶴の将来のためだった。千鶴が暴力を振るう父のもとに生まれた、その運の悪さは否定しようがない。人生を変えなければ未来などありえない。根本的な対処法はこれしかない。よその家庭に生まれ育ったことにする。ありもしなかった過去を本物の記憶と偽る。そう信じるよう自分を欺く。

今後もずっと、死ぬまで永遠に。

紗奈の声が耳に届いた。「千鶴。辛《つら》くなったときには……」

「もう平気」千鶴はできるだけ明るい声を響かせた。「紗奈さんと喋るうちに元気になった」

「……ほんとに？」

「ほんとだってば。いろいろ心配かけてごめんね」

「千鶴はひとりじゃないから。悩みがあったらいつでも電話して」

「わかった。ありがとう。紗奈さん、おやすみなさい」

おやすみ。紗奈の返事をきくと、千鶴は通話を切った。

パールビーズのブレスレットを握りしめた。ひとりではない。そのひとことを胸に刻む。孤独は思い過ごしだ。なのにこの涙はなんだろう。どうしていつまでも途切れない。

2

大阪市西成区《にしなりく》の北部、新今宮《しんいまみや》駅の南に、あいりん地区と呼ばれるドヤ街がある。むかしの地名で釜ヶ崎《かまがさき》と呼んだりもする。ホームレスや生活保護受給者、日雇い労働者が多く暮らし、継ぎ接《は》ぎだらけのトタンやベニヤの外壁が目につく、美観とはおおよそ無縁の区画。閉じっぱなしのシャッターの前に、なぜかゴミが山積する。じつはそのなかに住む人がいると知った。そこかしこに簡易宿泊所があるが、それすらも利用せず、路上に寝そべる中高年男性をよく見かける。

そんなあいりん地区に隣接する十五階建てのマンションに、有坂紗奈は住んでいた。実年齢は十七だが、いま用いている偽名は泉稜楓《いずみりようか》、北海道出身の十九歳だった。本物の稜楓は、紗奈が冨米野島に連れて行かれる前に、島民に陵辱され殺害されていた。調べても身元はふたしかで、行方不明者届もでていないとわかった。保険証カードをもとに、いつものやり方で住民票をとり、この地域で運転免許証を取得した。マイナンバーカードも発行されたいま、紗奈は泉稜楓として問題なく生きられるようになった。

街路灯が極端に少なく、夜間にスリやひったくりが横行する一帯で暮らすのは、単に家賃が安いからだった。皮肉なものだと紗奈は思った。川崎の治安の悪さを心底憎悪してきたのに、いっそう不穏で物騒な場所に住んでいる。ところがいったん生活を始めてみると、かえって気苦労を感じない。秩序の乱れに対する恐怖感もない。身近に犯罪が起きたとしても、それがどういう性質のものか、わかりすぎるほどわかっている。

朝はジャージにリュックを背負い、ランニングにでかける。長い黒髪を後ろでまとめたりはしない。髪が筋トレの邪魔にならないように処置すると、ふだん髪を下ろしている日常において、とっさの行動に支障がでる。前髪が目にかかっても状況を正確に把握し、後ろ髪をつかまれそうになろうともすばやく回避できる、そんな鋭敏さを育てておきたい。

髪を短くしないのは、敵の油断を誘うためでもある。ろくに立ちまわれない小娘とみなす輩《やから》であれば、数秒後には返り討ちにできる。筋肉を誇示し強そうに振る舞うのは、かえって逆効果だ。襲撃者が仲間を増やし、より卑怯《ひきょう》な手段にうったえるのを、みずから誘発するに等しい。

公園に着くとリュックを下ろし、毎朝のノルマをこなす。腕立て伏せから指立て伏せ。仰向《あおむ》けに寝て両足の踵《かかと》を浮かせ、頭を起こし腹筋を鍛えるクランチ。V字腹筋の維持。大きめの石を錘代《おもり》わりにうなじに載せ、背筋の力だけで弓状に反り、両腕と両脚を浮かす。ヒンズースクワットにフルスクワット。ジャンピングスクワットから太《ふと》腿《もも》を高く上げ、空中で両膝《りょうひざ》を抱えこむ。

筋トレがひととおり終わると、木の幹に突きを繰りかえし浴びせる。人差し指と中指、薬指の三本を、長さを揃えたうえで三角形に密着させる。指はすっかり硬くなっていたが、人体の武器はそれだけではなかった。川崎に住んでいたころから爪を強化してある。

ネイルの手入れに使う甘皮ケアオイルに、ひまわり油を多めに混ぜ、爪と皮膚のあいだに垂らす。もとは剝《は》がれかかった爪を治すためだったが、やがて突きのトレーニングに併用することで、厚く丈夫な爪が生えてくるのがわかった。爪は鍛えられる。いまやナイフのように硬く鋭い。

この指先で人体をも突き通せることを、紗奈も最初から信じられたわけではない。だが人の骨の硬さは、モース硬度で4にすぎない。皮膚や筋肉の組織はそれ以下になる。鉄板をぶち抜けるからには、数値がガラスより低いモース硬度4の対象物は、鍛えた指先と爪で貫通できる。

より突き詰めれば、モース硬度とは傷のつきやすさでしかなく、靭性《じんせい》は考慮されていない。衝撃への耐性という意味では、人体はいっそう脆《もろ》い。適切に踏みこみ、しっかり腰をいれることで、指先と爪の突きは、敵の肉体の細い部分をも切断しうる。

鍛え抜いた武道家であっても、殺人技を訓練するわけではない。繰りだすのは拳《こぶし》や掌《てのひら》のみ。フルコンタクトであっても人体を砕くことを目的としない。武道を歩むうち人格が育ち、自制心も備わってくる。よって対戦相手の血管や神経を切断できるかどうかを、たしかめる機会などないばかりか、その意思も持たない。できないという武道家は、それだけ人としてまともなのだろう。無意識のうちにも力や技をセーブしている。紗奈はそのかぎりではなかった。鍛えた指先と爪を三本束ね、上腕二頭筋や脊柱《せきちゅう》起立筋の力を存分に借りれば、モース硬度4を突き通せる。物理的な事実だった。

筋肉が太くならないように気を遣った。引き締まった密度の高い、小ぶりな筋肉で全身を覆いたかった。おかげで着瘦《きや》せする体形を維持できている。ジャージ姿なら特に華奢《きやしゃ》に見える。髪を長くするのと同じ理由だった。強そうに見せたのでは敵も相応に対処してくる。敵に最大限の力を発揮させず、むしろ最小限に留《とど》めさせたうえで、早いうちに勝負をつける。できれば一瞬が望ましい。スタミナの持続や絶対的な腕力という点で、十七の女では不利を否定できないのだから。

木の幹に繰りかえし突きを食らわす。樹皮が剝《む》けてきたところで、勢いを増し強烈に突く。三本指は深々とめりこんだ。

ため息をつきながら指を抜いた。木の幹には、三角形に揃えた三本指を象《かたど》ったような形状の穴が、ぽっかりと開いていた。

千鶴のことが気がかりだった。電話の向こうで千鶴は泣いていた。本当は飛んでいって慰めてあげたい。けれども会えない。双子のようにうりふたつな顔の持ち主。遠藤恵令奈はもう千鶴だった。紗奈ではない。

そろそろ動画を撮るべきだ。リュックから制服をとりだす。ここからははるか遠くの川崎市立芳西《ほうさい》高校、いちども在学したことのない学校の制服だった。ジャージを脱ぎ、Tシャツと短パン姿になり、上からブラウスを羽織りスカートを穿《は》く。それなりに洒落《しゃれ》たコーデだと感じる。

スマホを正面に置き、リクエストがあったK‐POPの数曲を流しつつ、おぼえたダンスを再現する。筋肉を充分に鍛えているおかげで、アイソレーションがかなり楽になっていた。

ひととおり踊りきると、紗奈はスマホを手にとり、動画をチェックした。ダンスそのものより、背景が必要以上に映りこんでいないか、そこに注意を向ける。画面内には木々しか見てとれない。たぶん場所の特定は不可能だろう。

ダンサーEE、江崎瑛里華は遠藤恵令奈、すなわち千鶴ということになっている。チャンネル登録者数の多いユーチューバーには、ふだん気さくに声をかける人々も少なくない。千鶴には軽く受け流すようにいってあるが、どこかで立ち話が長引いたりしないだろうか。ダンスの披露を求められても応じてはならない、そう釘《くぎ》を刺しておいたものの、千鶴が突っぱねられるかどうかは未知数だ。マンションの部屋からなるべくでないよう勧めるのは、そのあたりにも理由がある。いまは大人しく暮らしながら、社会に適応する準備を進めてほしかった。

動画ファイルから念のため位置情報を削除し、ユーチューブにアップロードする。再生をたしかめるついでに、前回の動画のコメント欄に目を通す。あいかわらず世界じゅうの言語で書きこみがあった。韓国へ行きデビューをめざすべき、そう熱く語るコメントを毎回見かける。紗奈は苦笑した。

ふとひとつのコメントに注意を喚起された。ハンドルネームにも馴染《なじ》みがあった。いままでも頻繁にコメントをくれている。

@ringo2817　2日前

EEさん　いつも憧《あこが》れます　どうしたらそんなに上手《うま》く踊れるんですか？　わたしはどれだけ練習してもちっとも……

このringo2817という人は、過去のコメントでもダンスを習っている旨を明かしていた。文面から察するに、同じぐらいの歳の女の子に思える。練習の行き詰まりに悩むようすが伝わってくる。

返信を打とうとして手がとまる。紗奈は小さく頭《かぶり》を振った。誰に対しても返信してはならない、そう心にきめておいたはずだ。どれだけもっともらしくても、本当のことを書いているかどうかはわからない。人とのつながりを持ちたくない。

スマホをリュックにおさめる。紗奈はふたたびリュックを背負い、公園をあとにした。辺りにはまだひとけがない。引っ越してきたばかりのころ、着替えたり動画を撮ったりしていると、酔っ払いがわらわらと近づいてきたりした。しかし木の幹に指を突き通すのを見たせいか、もう誰も姿を現さなくなった。

人の悩みはすべて人間関係だときいたことがある。誰とも会わなければ悩まずに済む。けれども気が鬱《うつ》してくるのは避けられない。なぜだろう。ひとりでいれば傷つきもしないはずなのに。

3

千鶴はきょうも自室で一日を過ごした。いつしか窓の外が暗くなっている。明かりを点《つ》ける気になれない。悶々《もんもん》と気分が塞《ふさ》いでくる。もの思いに沈むのはいつものことだ。それが日を追うごとに深刻になりつつある。耐えられない。

動画を観ていても楽しくない。貯金が増える一方のため、ネットゲームで大幅に課金しても問題はないが、プレイになんの喜びも生じない。かといって勉強は嫌いだった。紗奈の勧める自主学習が手につくはずもなかった。

萎《な》えるとか気が滅《め》いるとか、テンションが下がるというレベルではない。強い不安や焦りにさいなまれる。紗奈への申しわけなさが募る一方、なにかする気になれずにいる。自分になんの価値もないと感じる。死のうかなというひとりごとが頻繁に口を衝《つ》いてでる。ただし自殺する勇気はない。苦しみたくもない。だから眠っているうちに息を引き取ってしまえればと願う。自分を憐《あわ》れむたび涙が滲《にじ》んでくる。

じっとしているのが我慢ならない。きょうまでずっとこうしてきて、明日からも同じ暮らしがつづく。コンビニの店員やデリバリーの配達員以外、言葉を交わす相手がいない。飯島千鶴が存在しないからだ。無に話しかける人間はいない。

ふとひとつの考えが脳裏をよぎる。でかけてしまえばいい。どうせ死にたいと願っている。いまさら危険なんか顧みない。

にわかに自分を鼓舞しながら、本当は危険などありはしない、心のどこかでそう考えていた。ここは日本だ。川崎もすっかり治安がよくなった。高一の女子でも、みな日が暮れて以降も遊び歩いている。ＳＮＳを観ればわかる。千鶴がそうしてはならない謂《いわ》れはない。

いや。正確には外出を自粛せざるをえない、れっきとした理由がある。紗奈に迷惑をかけられない。外出時に千鶴がぼろをだし、遠藤恵令奈でないとバレれば、なにもかも終わりだ。崩壊のきっかけを千鶴が作るわけにいかない。

自暴自棄になりがちな心を抑えこもうと、あれこれ思いをめぐらせる。けれどもそのうち限界に至った。千鶴は衝動的に立ちあがった。好きなように過ごしてなにが悪い。金ならあるし年齢は十九だ。ホストクラブに行こうとも咎《とが》められたりはしない。

千鶴はクローゼットを開けた。季節は冬だが、できるだけ派手ないろのジャケットに、膝丈《ひざたけ》スカートのよそ行きファッションにする。でかけるときめてからは心が軽くなった。朝帰りしてもかまわない。この部屋にいつでも戻ってきて寝られる。こんな恵まれた環境を活用しない手はない。まずはひと晩を外で過ごそう。どんな場所でどういうできごとがまつのだろう。想像するだけでも胸が弾んだ。なにより救われた気持ちになる。

着替えとメイクを終え、千鶴は玄関ドアをでた。このマンションの廊下は内通路になっている。偶然にも隣のドアが同時に開いた。前にも会った二十代の女性が、普段着姿でぶらりとでてくる。たぶん下の宅配ボックスを見に行くか、買い物にでかけるのだろう。

女性が千鶴に気づき、軽く頭をさげた。「あ、どうも」

「どうも……」千鶴は恐縮しながらおじぎをかえした。人と喋《しゃべ》ることを望んでいたはずが、急な会話はやはり苦手だった。

「どこかへおでかけですか」女性がきいた。

「はい……。川崎駅東口のあたりに」

正直に答えてから後悔した。この辺りで繁華街といえば、それぐらいしか考えられないものの、千鶴はまだ詳しくなかった。どこか遊びに行けるお勧めのスポットをききたい、そんな思いがあったせいかもしれない。女性はむろんのこと、千鶴のプライベートに深く干渉しようとはせず、ただ愛想笑いを浮かべた。

女性がエレベーターホールへと立ち去る。一緒についていくかどうか迷う。ふたりでエレベーターに乗ればもう少し話せる。だが千鶴は衝動的にドアを開け、自分の部屋のなかへ舞い戻った。靴脱ぎ場にたたずみ、後ろ手にドアを閉じきる。

なにをやっているのだろう。人とつながりを持ちたいのではなかったのか。そういえば隣に住む女性について、千鶴は名前すら知らなかった。同居人がいるかどうかもわからない。話しかけてきたのは向こうだ。積極的に言葉をかえしてもかまわなかったのではないか。けれども嫌われたらどうしよう。やはり隣人相手にはうまく話せない。まずは赤の他人から試したい。

千鶴はふたたび部屋をでた。誰もいないのを見計らい、エレベーターで一階ロビーへと下りた。ようやく千鶴は夜風のなかへ繰りだした。

川崎駅前は賑《にぎ》わっていた。同世代ぐらいの若い子もよく見かける。制服姿が多くとも、連れがいたりカップルだったりする。千鶴はなんとなく気まずくなり、ひとまず駅ビルへ入った。アトレ川崎の各階をめぐり、そこから地下街アゼリアへ下りていく。単なる商業施設。これまでにも何度も訪ねたことがあった。これではなんの意味もない、冒険にならない。

小綺麗《こぎれい》なチネチッタ周辺にも用がなかった。アーケード商店街はいくらかガラが悪いが、実際に足を運んでみると、やはりふつうの飲食店が軒を連ねる。

この界隈《かいわい》は日常と地続きでしかない。人々はよそよそしく、誰も千鶴に関心を向けてこない。もう少しディープなエリアに向かうべきか。東田町《ひがしだちょう》や砂子《いさご》あたりへ行けば、あるていどいかがわしい店があると、小耳にはさんだことがある。堀之内町《ほりのうちちょう》や南町《みなみまち》ほど危なくはないという。そこまで行くぐらいならだいじょうぶだろう。

ところがいざ現地を訪ねてみると、低層の雑居ビルが連なる路地に、キャバクラの看板ばかりが目についた。うろついているのは中高年男性のスーツばかりだ。自分がまったく場ちがいに思えてきた。

そのときキャバクラの隣に、わりと洒落《しゃれ》た店舗があることに気づいた。青いネオン管が縁取る看板にはIldefonsoとある。イルデフォンソ……と読むのだろうか。ガラス張りのなかにカウンターが見える。カジュアルファッションの若い男女が十人近くいる。もちろん千鶴より年上なのはたしかだが、路地を往来するスーツの群れよりは、ずっと身近に感じられる。店内にはダーツの的があったり、ピンボールマシンが据えられていたりして、それらの電飾も煌《きら》びやかで美しかった。

たぶんバーと呼ばれる業態だろう。入店するのは初めてだ。客として迎えられるだろうか。対象外とみなされ門前払いを食うのではないか。いや、十九歳は成人だ。飲酒はできなくても、店に足を踏みいれるのはかまわないはずだ。

意を決してガラス戸へ歩み寄る。深呼吸したのち戸を開けた。

店内のBGMが大音量で耳に飛びこんでくる。クラブミュージックにともなう重低音のリズムに、早くも及び腰になる。それでもカウンターのなかに立つ青年が、いらっしゃい、そういったのが励みになった。千鶴は店内に入り戸を閉めた。

ひどくタバコくさかった。青い間接照明が照らす空間は、外から見たより狭く、換気が充分でないのか、霧のように煙が立ちこめている。カウンターに居並ぶ客たちは、音楽に掻《か》き消されまいと声を張りあげ、やたら大声で笑い転げたりする。みな友達どうしのようだ。いちばん奥の端が空いている。バーテンダーもそこを指ししめした。千鶴はカウンター席におさまった。

隣は巻き髪を明るく染めた女で、メイクがかなり濃いものの、喋る声からすると十代に思えた。そんなに歳が変わらないのかもしれないが、手もとのグラスは水割りのようだ。派手ないろのワンピースに身を包んでいる。遊び慣れている印象を受ける。

ほかの客は二十代前半が多そうだが、ときおりやはり千鶴と同世代らしき笑い声が交ざる。そう思えるだけなのだろうか。ここにいる全員がアルコールを口にしているようだが。

バーテンダーが前に立った。「なんにします？」

年齢が発覚しそうな危うさをおぼえる。千鶴はうつむき、卓上メニュースタンドに目を向けた。「ええと……」

隣の女がグラスに手を伸ばした。会話が途切れたのか千鶴を一瞥《いちべつ》し、女がいった。「それワインボトルの一覧だよ？　いきなりボトルいれるの？」

やはり十代半ばのような声の響きだった。千鶴は戸惑いながら、ほかのメニュースタンドを手にとった。

「カクテル？」女が助言してきた。「ならアキオ兄さんに好みを伝えるだけでいいって」

当惑が深まる。千鶴はささやいた。「好みって……？」

「度数が強めとか弱めとか、フルーツやリキュールの甘いほうがいいとか、ジンやウォッカベースのほうがいいとか」

アキオと呼ばれたバーテンダーが苦笑した。「ミヅキちゃん、代わってよ。俺よりここの仕事が務まりそうだし」

ミヅキが愉快そうに笑った。「時給十万からなら考える」

「どこにそんな金があるんだよ。安客ばっかりじゃねえか」

ほかの客もいっせいに笑いだした。みな常連なのか、バーテンダーも含め、全員が気心の知れた間柄のようだ。千鶴はひとり蚊帳《かや》の外に置かれた気がした。

するとミヅキがまた千鶴に向き直った。「わたしが選んであげよっか」

本当はノンアルコールカクテルをオーダーしたかった。ようやくメニュースタンドにその項目を見つけたからだ。しかし会話が始まりそうな予感に、千鶴はメニューを遠くへ押しやった。「はい、あのう……。できれば」

「お酒に慣れてなさそうだけど、カルーアミルクなんてガキっぽすぎるよね。スカーレットオハラがいいんじゃね？」

アキオが異論を唱えた。「ファジーネーブルならアルコールも三度……」

「いいから！　あんなのオレンジジュースじゃん。リキュールはサザンカンフォートがアガるんだって。ね、それでいい？」

「あ……。はい」

ミヅキがアキオに、早く取りかかるよう目でうながす。アキオがやれやれという顔で離れていった。

「わたし園子《そのこ》美月《みづき》。美しい月って書くの。歳同じぐらいだよね？　十六とか？」

なんと堂々と飲酒しておいて、千鶴と同い年だと明かしてきた。自己紹介を受けた以上、こちらも名乗らざるをえなくなった。千鶴は口ごもった。「ええと、わたしは……」

「ちょっと」美月がまじまじと見つめてきた。「どっかで……。え？　まさか。ひょっとして……」

「な、なんですか」

「嘘」美月は目を丸くした。「EEさん？　江崎瑛里華さんじゃん！」

ほかの客たちが会話を中断し、前のめりになったりのけぞったりしながら、千鶴の顔を注視してきた。

男性客が頓狂《とんきょう》な声を発した。「マジで？　あのガンガン踊る人？」

全員が目でたずねてくる。返事をしないかぎり解放されない、そんな空気が濃厚に漂う。千鶴は緊張に小さくなった。「はい。いちおう……」

わあっと一同がいきなり沸いた。別の女性客がハイテンションでわめいた。「すげーじゃん！　イリチルをソロにアレンジして、ひとりでめちゃ踊ってた人じゃん。あれマジで尊敬」

アキオが怪訝《けげん》そうにカクテルを運んできた。「有名人？」

美月は顔を輝かせていた。「知らねえの？　踊ってみた系のユーチューバー。ティックトックやインスタでもよく観てる。プロかそれ以上の動きなの」

「へえ」アキオは本気にしていない顔だった。「ほんとに？」

「ほんとだって」美月が千鶴に目を戻した。「江崎瑛里華さんってことは、三コぐらい上ですよね？　わたし失礼な口きいちゃって」

「だいじょうぶです」千鶴は自分の敬語が変に思われるのではと危惧《きぐ》した。「あの、じつはわたしもまだ十六」

「マジ!?　酔いがスパーンと醒《さ》めるぐらいの衝撃的カミングアウトじゃん」

たちまち後悔にとらわれる。友達がほしいばかりに設定を捻《ね》じ曲げてしまった。あとで紗奈にラインでメッセージを送らねばならない。紗奈は納得してくれるだろうか。

美月は昂揚《こうよう》しきっていた。「でも嬉《うれ》しい。じつはタメだったなんて。実際こうしてほんとに会うと若いってわかるね」

エントランスのガラス戸が開いた。いらっしゃいとアキオが応じた。

ラッパーのようなストリート系ファッションに身を包んだ、不良少年っぽい若者が入店してきた。キャップの下の浅黒い顔、とろんとした目に鼻ピアス、首筋にはタトゥーがのぞく。精いっぱいワルぶってはいるものの、やはり十代半ばに見える。

「あ」美月が少年に声をかけた。「テツキ！　こっちへ来なよ。すげーサプライズ。ＥＥさんいるよ」

テツキなる少年が小走りに駆けてきた。千鶴を見るなり仰天する反応をしめした。

「マジかよ！　ＥＥさん、いつも観てます。握手してください」

差しだされた手の甲にもタトゥーが入っている。千鶴は内心臆《おく》しながらも握手に応じた。テツキのがっしりした手が力強く握ってくる。

「へえ」テツキがニヤニヤした。「なんだか思ってたのとちがう……。柔らかい手だな」

千鶴は冷や汗をかく思いだった。テッキはかなり身体を鍛えているようだ。ダンスの練習を重ねるうち、手の皮も厚くなったりするのだろうか。未経験者だと見抜かれるのではないか。

美月が割って入った。「ちょっとテッキ。いつまで手握ってんの。失礼でしょ」

「ああ、悪《わり》い」テッキが手を放した。「EEさん、俺もヒップホップ習ってるんスけど、キックしてゲットダウンっての難しくて。教えてもらえませんか」

一同が期待感をあらわにした。いまにも千鶴が立ちあがり模範演技をしめす、そんな雰囲気に染まりつつある。スマホをとりだし撮影の準備に入る者もいた。

困惑ばかりが深まる。千鶴はうわずった声で謝った。「す、すみません……。ここは狭いので」

「狭い？」テッキが足もとを見まわした。「これだけあれば充分じゃね？」

ふいにテッキは片脚を前方に投げだし、もう一方の膝《ひざ》を曲げながら、身体を大きく沈めた。

K‐POPでよく目にする動きだった。なるほどこれがゲットダウンという技なのか。千鶴は基本もなにも知らなかった。

立ちあがったテッキがリクエストしてきた。「次はEEさん」ほかの客たちも同意の声を発した。そのうちEEコールが始まった。千鶴はどうにもできず凍りついていた。

カウンターのなかからアキオがいった。「悪いけどうちはスタジオでもダンスホールでもねえんだ。身体動かすのはよそでやってくんなきゃな」

えー、とブーイングに似た抗議がひろがる。テッキがうなじを掻《か》きながら、なおも食いさがってきた。「じゃ外にでて、一回だけやってくれねえっスか」

アキオが苦言を呈した。「それもお断りだよ。ここいらじゃ客寄せ行為は店の迷惑になるし、お巡りさんが飛んで来かねないんで」

今度はあきらめっぽい嘆きがこだました。美月も仕方なさそうな顔になった。「残念。セブチの『HIT』とか、ナマで観たかった」

テッキは千鶴に笑いかけた。「俺の先輩らもダンス、一緒に練習してるんスよ。近いうちみんなで飲むんスけど、EEさんも来てくれねえスか」

美月が無邪気に声を弾ませた。「わたしも行く!」

またも追い詰められた気分になる。千鶴は弁解した。「ダンスを披露するわけには……」

「だよね」美月がため息をついた。「瑛里華さん、たぶんどこへ行っても、リクエストの嵐でしょ？　タダで観せられるもんじゃないよね」

「そういうわけじゃないけど……」

アキオがなにやら達観したような態度をしめした。「そのへんにしといたら？　瑛里華さんも困ってるよ。ダンスなんてほかにもやれる子が多そうだし」

美月がむきになった。「アキオ兄さんはわかってない！　これ観てよ。EEさんのダンス動画っていえば大人気なんだから」

スマホをタップしたのち、美月が画面をアキオに向けた。アキオが神妙な顔で画面を見つめる。EEのユーチューブ動画にちがいない。むろん踊っているのは、千鶴にうりふたつの顔の持ち主、紗奈だった。

「ふうん……」アキオがつぶやいた。「たしかにうまいね」

「でしょ？」美月がスマホをひっこめた。「瑛里華さんはすごいんだって」

「芳西高校の制服だな？　多摩川《たまがわ》の河川敷で撮ってるし」

「そう。だから近くに住んでるとは思ってたけどさ。まさか会えるなんて」

アキオの目が千鶴に向いた。なんとなく疑わしげなまなざしに思える。だがほかの客からオーダーを受けると、アキオはなにもいわずボトルの棚に向き直った。

不快感をともなう胸騒ぎがする。どこか信じきれていないような態度。文句があるなら口にだしてほしい。黙っていたのではいいわけもできない。

テツキは猜疑心《さいぎしん》のかけらものぞかせなかった。「ラインのアカウント、教えてもらってもいいっスか。あと来週の火曜なんスけど、夜とかあいてたら、俺たちの集まりに顔だしてほしいんスけど。踊らなくてもいいんで」

美月がグラスを手にとった。「まずは乾杯でしょ」

「あー、そうだな」テツキがアキオに注文した。「ビールくれよ。コロナ」

アキオが淡々と瓶ビールの栓を抜いた。レモンひと切れを瓶口に挿しこみ、テツキに手渡す。今度はアキオの目がいちども千鶴に向かなかった。

千鶴もカクテルグラスを手にせざるをえない。美月が乾杯と叫んだ。ほかの客たちも同調した。テツキが瓶ビールを呷《あお》る。千鶴ひとりが飲まないわけにはいかなくなった。カクテルグラスを真っ赤な液体が満たしている。それを口に運んだ。

クランベリーの果汁っぽい味、最初はそう思った。すぐにライムの酸味がとってかわる。喩《たと》えようのない爽《さわ》やかさ。なのにもう頭がぼうっとしてくる。

アルコールは初めてだった。たちまち吐くような不味《まず》さに直面したり、身体の拒否反応が生じたりしたらどうしよう。そんな不安は即座に掻き消された。たしかに変わった味わいだが飲みやすい。しかもなんとなく気分がよくなる。夢見心地に近づいていくのがわかる。

ほかの男性客が立ちあがった。「EEさん。俺の究極ダンスを見てくださいよ」

だが男性客の踊りはいかにも素人然としていた。テツキがダンスバトルのように競って踊りだす。ほかの客たちには大ウケだったが、アキオは暴れるなと憤慨しだした。

そんなアキオのようすを見て、美月が手を叩《たた》きながら笑い転げた。

どんどんアルコールがまわるのを実感する。これが酔うという現象か。千鶴は上機嫌になっていた。いちど笑いだすととまらなくなる。ここは千鶴を中心にした宴《うたげ》の様相を呈している。どれだけ望んできた状況だろう。アキオにはもう会いたくないが、美月らと一緒にいられるのなら、また出向いてきたい。いつだろうと、どこだろうと。

4

高二の十七歳、高城《たかき》依茉《えま》は浦安《うらやす》にある自宅の二階で、ユーチューブ動画を観ていた。六畳の自室のベッドに横たわり、タブレット端末に映るEEのダンスを、ただぼうっと眺める。いつもどおりすっかり魅了されていた。こんな動きは人間技ではありえないだろう。

アイソレーションがとにかく半端ない。身体の一部分だけがすばやく滑らかに動作し、ほかは写真のように静止している。ブレイクダンスのスワイプスもウインドミルも難なくきめる。力強くて抜群の安定感があり、リズムをけっして外さない。どれだけ筋肉を鍛えれば、ここまでのかっこよさを体現できるのだろう。顔だけは表情管理と無縁の仏頂面だが、それがかえってクールさを高めている。

今回もまたコメント欄に感銘のままをすなおに書きこむ。ringo2817というハンドルネームについて、このEEという踊り手が認知してくれる日を、ひそかに願いつづけている。だが山ほどのコメントのなかに埋もれてしまうのが常だった。技術の細かいところを質問したい。ただし書いたところで返信は期待できない。EEはティックトックやインスタでもダンスを披露しているが、自己紹介欄は空白だし、動画になんのテキストも添えない。誰ともコミュニケーションをとる意思をしめさない。

芳西高校の制服姿ではあっても、EEらしき在学生はいないと、SNSで話題になっていた。川崎に住んでいるのはたしかだろうが、いったいどこの誰だろう。EEのダンスを直接観てみたい。

充電器につないであったスマホが短く震えた。そちらの画面をタップしてみると、ラインにメッセージが入っていた。

都内のヒップホップダンススクールで、何度か顔を合わせたテツキこと、鱈島哲基《たらしまてつき》からだった。〝今晩、俺たちの集まりにEEさん来るよ〟とある。

思わず目を疑う。依茉はただちに返信した。〝マ？ EEって多摩川でダンスしてる彼女？〟

テツキもすぐにメッセージをかえしてきた。〝ほかに誰がいるんだよ〟

胸の高鳴りが抑えられない。依茉は無我夢中で文字を打ちこんだ。〝行きたい！〟

時間や場所が送られてくるのを、じっとまってはいられなかった。ここは千葉の浦安だ。依茉が学校から帰ってしばらく経つ。時計は午後六時をまわっていた。冬場だけにもう日も暮れている。どこへ行くにしても準備を急ぐ必要がある。

ベッドから跳ね起きると、依茉はクローゼットの扉を開けた。部屋着を脱ぎ捨て、ショート丈のパーカーに黒のカーゴを穿《は》く。外は寒いだろう。ダウンを羽織らねばならないのがもどかしい。

メイクはアイシャドウベースから始める。踊ることを前提に、グリッターアイシャドウを密着させ、スモーキーアイを作る。派手な見た目になるが、EEとダンスできる機会が訪れるのなら、ベストなコンディションで臨みたかった。

アイラインをブラシでぼかすうち、テツキから返信が入った。ヨコハマベイクラブで午後八時。ここから横浜《よこはま》までは電車で一時間半かかる。もうでかけるべきだった。

支度を済ませると、ミニショルダーバッグを手に、依茉は部屋をでた。二階へと下りていく。

階段が廊下でなくリビングルームにあるのが煩わしい。浦安の会社に勤める父は、この時間にはもう帰っていた。母もキッチンで夕食を作っている最中だった。

ソファに座る父が顔をあげた。「依茉。どっか行くのか？」

母が小走りに駆けてきた。「なに？　そんなにおめかしして、どこへ行くつもりなの。きょうはダンススクールじゃないでしょ」

依茉はろくに振りかえりもせず、玄関へと向かいだした。「ダンススクール絡みでちょっと」

「ちょっとって？　もうご飯できるのに」

「きょうはいらない。外で食べてくる」

「帰りは？　何時ごろ？」

「まだわかんない」依茉は靴脱ぎ場でスニーカーを履くと、ドアを開け、外の暗がりへでていった。

背後でドアが閉まる寸前、母の声がきこえた。気をつけて、そう母がいった。依茉は歩を速めた。母のひとことを耳にしたくなかった。依茉の夢をかなえてくれるほどの両親ではない。がっつり頼れる存在でない以上、無関心なままでいてほしかった。

でかける理由をはっきりと告げなかった。憧《あこが》れのユーチューバーに会いに行くといえば、きっと両親は反対する。母も父も自分たちが理解できないものを恐れる。どこの誰だか知らない子と遊んではならないという、依茉が小学生のころのきまりが、いまだに有効だと考えている。

足ばやに駅へと急ぎながら、依茉はうざったい思いを遠ざけた。ダンススクール仲間を不良グループとみなす親とはわかりあえない。ピアスやタトゥーで人を差別する大人になりたくない。

5

千鶴はでかけるにあたり、なるべく江崎瑛里華らしい装いを心がけた。紗奈が置いていってくれた服がある。ルーズなシルエットになるよう、大きめのスウェットを着て、デニムのスカートと合わせた。ストリート系にガーリーの組み合わせ。たぶんこれでダンス好きのような雰囲気はだせるだろう。

パールビーズのブレスレットは手放せない。いまやお守りだった。緩んだゴムを取り替えるべきだが、そうすると御利益も失われてしまいそうで怖い。これを身につけていれば、紗奈が一緒にいてくれるような気がする。

踊れる瑛里華に会いたがっている人々に、まったく踊れない千鶴が会う。少々危なっかしい行為かもしれない。わかってはいるものの、マンションの自室に籠《こ》もりつづけるのはうんざりだった。美月とは友達になれた。テツキもきょうはダンスをしなくていいと断ったうえで招いてくれた。なにより先日のバーでの宴は楽しかった。人と通じあえる喜びを得た。寂しさを忘れられる時間だった。もういちどあの空気のなかに浸れるのなら、どこへでも飛んでいきたい、千鶴はそう思った。

夜七時台、千鶴は京浜東北《けいひんとうほく》線の各駅停車に乗り、桜木町《さくらぎちょう》駅へ移動した。そこから路線バスと徒歩で、中《なか》区新山下《しんやました》にあるライブハウス、ヨコハマベイクラブへ向かう。

工業地帯の港近く、外観は倉庫然としていた。駐車場はクルマでいっぱいだった。これから入場しようとするB系やストリート系ファッションの群れが、そこかしこにたむろしている。待ち合わせが多いのか無数のグループに分かれていた。千鶴はそのなかをうろついた。

「あ」美月の声がした。「いた。瑛里華さん、こっち」

千鶴は振りかえった。十人以上のグループのなかに美月が立っていた。巻き髪に縁取られた顔は、いっそうメイクを濃くしている。服装はストリート系だった。

テツキも一緒にいた。黒にロゴの入ったヘアバンドやソックスで、ヒップホップスタイルを徹底している。けれども問題は、そんなテツキとじゃれ合う大柄の男だった。キャップからスニーカーまで黒で統一した巨漢は、猪首《いくび》にチェーンのネックレスを巻いている。年齢は二十代だろうが、無精髭《ぶしょうひげ》のせいか凄《すご》みがあり、テツキにヘッドロックをかけるさまも乱暴だった。技をかけられたほうのテツキは、顔をしかめながらも笑っている。仲がいいというより、先輩に頭のあがらない後輩のありさま、それ以外に形容のしようがなかった。

ほかの面々も二十代がほとんどのようだった。みなやたら身体が大きく、ヒップホップというより半グレっぽい着こなしで、鋭い眼光を放っている。美月が江崎瑛里華を紹介しても、誰ひとり歯を見せたりせず、ワルっぽく会釈するだけだった。

勝手がちがうと千鶴は思った。どうにも居心地が悪い。川崎のバーにいたテツキの先輩らとは大ちがいに感じられる。この人たちはEEこと江崎瑛里華に会いたがっていたのではないのか。それにしてはずいぶんそっけない。あるいはヒップホップ系ダンサー集団というのは、仲間を歓迎するときもこんなふうなのだろうか。やたらじろじろと見つめてくるかと思えば、目が合いそうになると視線を逸《そ》らし、なんの関心もないような素振りをする。

テツキがヘッドロックから解放され、へらへらと笑いながら近づいてきた。「瑛里華さん、俺と同じダンススクールに通ってる依茉を紹介するよ」

浦安に住む高城依茉という子についてなら、川崎のバーでもテツキが何度となく話していた。江崎瑛里華の大ファンだという。ショートボブですらりとした体形、メイクをばっちりきめた依茉が、巨漢らの陰から現れた。たしか高二のはずだが、いかにも踊れそうなスタイルのヒップホップ系少女だった。憧れに満ちた微笑とともに、依茉が千鶴を見つめる。千鶴は恐縮しながら頭をさげた。

ところが依茉の表情がふいに曇りだした。目を瞬《しばたた》かせながら千鶴を凝視してくる。

「あ、あの」千鶴は不安に駆られた。「なにか……?」

「……いえ」依茉が言葉を濁した。なおも探るようなまなざしを、千鶴の腕や脚に向ける。ぼそりと依茉がいった。「べつに」

巨漢のなかで、頭にバンダナを巻いたリーダー格っぽい男が、周りをうながした。

「なかに入ろうぜ」

一同がライブハウスのエントランスへ歩きだす。千鶴は後ろからついていくことになった。ゲストとして歓待されるかと思えば、なんとなく爪弾《つまはじ》きにされているような、ずいぶん雑な扱いだった。とはいえこの集団にとっては、肩肘《かたひじ》張らない人づきあいかもしれない。千鶴を招いてくれただけでもありがたいグループだ。交友関係を広げたければ、ローカルルールにも馴染《なじ》んでいくしかない。

ライブハウス内は大賑《おおにぎ》わいだった。スポットライトが照らすDJブース以外は薄暗く、大勢の人影が音楽に合わせ、身をくねらせながら踊り狂っている。千鶴はいっそう心配になったが、美月やテツキの仲間たちはダンスフロアへ向かおうとせず、後方のボックス席に陣取った。

一同がテーブルを囲み、それぞれ飲み物をオーダーする。千鶴は注文をきかれ、スカーレットオハラと答えた。ほかにカクテルの名を知らなかった。

巨漢らが自己紹介を始めた。リーダー格がコウと名乗った。テツキにヘッドロックをかましていたのはミナト。ほかにいちばんの肥満体がマックス、五分刈りに口髭《くちひげ》はジュラハン、冬場なのにタンクトップと太い二の腕のバジル……。このあたりはむろん本名とは思えない。最も危ない格好をしているのは、日焼けした厚い胸板をさらけだし、ヒョウ柄のコートを羽織ったスキンヘッド、その名もムクロだった。ほかにもシバやキラと名乗る男たちがいる。いずれもコワモテで恐ろしげな見た目をしていた。

酒が運ばれてきた。千鶴は緊張に身を硬くしたが、美月は明るく振るまい、巨漢らと談笑した。そのうちみな打ち解けてきて、リーダー格のコウも笑顔をのぞかせるようになった。意外にも最も怖そうなムクロが、かなりの冗談好きだとわかった。ムクロが下品な笑い話を口にするたび、巨漢らが笑い転げた。セクハラだらけのトークには耳を塞《ふさ》ぎたかったが、美月は気にしたようすもなくつきあっている。千鶴もひとまず空気を読んで場に合わせることにした。

そのうちジュラハンが目を向けてきた。「EEさん。俺、BTSはようやく『DNA』の振りが身体に入った段階なんだけどよ。『FAKE LOVE』になると、もうリズムについてけねえ。EEさんは『ON』とか、難なく踊るだろ。いつもすげえなって思ってて……」

バジルが茶化した。「だせえ。リズムに乗れねえってジジイかよ」

巨漢らの笑い声が渦巻くなか、ジュラハンがひとりむきになった。「ほざいてろ。おめえも『DOPE』がいいとこじゃねえか。『FIRE』になるともう観れたもんじゃねえ」

ムクロがソファにふんぞりかえった。「観てえよな。EEさんのダンスをよ」

千鶴が戸惑いをおぼえるより早く、テツキが割って入った。「きょうは楽に飲むだけって約束で来てもらったんスよ。また次の機会に」

厚い胸板のムクロが身を乗りだす。千鶴をじっと見つめてきた。探るような目つきに千鶴は内心ひやりとした。無理に踊らせようとしてきたらどうしよう。

またムクロがソファの背に身をあずけた。「あー、鍛えすぎると上半身が重くて仕方ねえ。もたれかかってねえとな」

一同が笑った。美月も目を細めながら千鶴を見た。ムクロの顔からも、ふっと氷が溶け去ったようだった。警戒しすぎかもしれない、千鶴は自分についてそう思った。

酒が進むと時間の感覚が鈍くなる。美月が灯《とも》したスマホ画面の時刻表示は、早くも夜九時をまわっていた。巨漢らは入れ替わり立ち替わりフロアにでて踊っている。クラブの音響はボリュームが大きすぎ、後方のボックス席でも会話はままならなかった。相手の喋《しゃべ》ったことがよくききとれないが、みな腹を抱えて笑っている。この雰囲気だけで充分だった。安心したせいか、千鶴は眠気さえおぼえてきて、ついうとうとしてしまった。

かなりの時間が過ぎたらしい。場内の音量が少し控えめになった。巨漢らはみなフロアへと出払っている。テツキも踊りにでかけたらしく、ボックス席はがらんとしていた。いつの間にか美月の姿さえ見あたらない。

ふいに隣の椅子に移ってくる人影があった。依茉だった。ポッキーを一本つまんで口に運ぶと、依茉は千鶴の横に身をぴたりと寄せてきた。やや呂律《ろれつ》のまわらない物言いで依茉がいった。「あなた江崎瑛里華じゃないでしょ」

「えっ」千鶴は思わず言葉に詰まった。「あの……。ええと……」

依茉はいきなり千鶴の太腿《ふともも》をつかんだ。千鶴はびくっとした。全身が凍りつき震えだす。ひとことも喋れなかった。

「ふうん」依茉のてのひらが太腿を揉《も》んだ。「柔らかすぎ。筋肉全然育ってないし。でも顔はそっくり。整形した？」

にわかに動揺せざるをえない。てのひらに汗が滲《にじ》んでくる。千鶴は依茉をまともに見かえせなかった。「いえ。その……」

「なわけないか。まだ十六だもんね。年齢はみんなに明かしたとおり、ほんとでしょ」依茉がグラスを手にし、千鶴の眼前に掲げた。「乾杯」

千鶴はテーブルに置いたグラスに触れることさえできずにいた。ボックス席にはほかにもう誰もいない。男たちがみなダンスフロアへ出払っているのは幸いだった。依茉がその機を待っていたのはあきらかだ。

「ごめんなさい」千鶴は震える声でささやいた。

依茉がグラスの酒を飲み干した。「わたしとおんなじEEの熱烈ファンかと思ったけど、その服、まちがいなく江崎瑛里華が動画で着てたやつじゃん。スウェットの袖《そで》の破れてる箇所まで同じ。コピーしたコスプレとも思えないもん」

どう答えるべきかわからない。だが千鶴はすっかり萎縮《いしゅく》していた。ただすなおに応じるしかない、そんな思いで千鶴は白状した。「くれたの」

「服を？　本物の瑛里華さんに会った？　っていうか知り合い？」

「はい……」

「へえ」依茉がじっと見つめてきた。「アメリカのポップスターなら、そっくりの替え玉がいるっていうけど、さすがに江崎瑛里華さんがそこまで必要？　それともなにかほかに理由がある？」

千鶴は口ごもった。本当のことをいえるわけがない。現状だけでも息が苦しくなる。紗奈に迷惑がかかってしまう。ときを戻せるものならそうしたい。

依茉の表情が穏やかになった。「ま、いっか。なんていうか、残念だけど、少しほっとした」

「……ほっとしたって？」

「夢に見るほど江崎瑛里華さんに会いたかったし、ついに会えると心臓バクバクになって……。その喜びだけで充分じゃないかなって、ここに着く前にぼんやり思ったの。ほんとに会ったら、たぶんただの人だろうし。なんかそこで夢が覚めちゃいそうで」

困惑はまだつづくものの、千鶴にはひとつはっきりといえることがあった。「本物の瑛里華さんは、会ってがっかりするような人じゃない」

「そう？」依茉が微笑した。ごく自然な笑みとともに依茉がいった。「それもまた嬉《うれ》しい話。ますます会いたくなる」

依茉の寛容な姿勢に、千鶴は少しばかり安堵《あんど》したものの、心は沈みがちになった。

「偽者にはがっかりしたよね……」

「そんなことない。あなたはあなたで魅力的。すなおで可愛いし。瑛里華さんにうりふたつの友達って、なんだかすごく不思議な存在だけど……。ひょっとして双子？」

「いえ……。わたし、千鶴っていうの。飯島千鶴」

「千鶴さんかぁ。本物のEEさんのほうは、江崎瑛里華が本名？」

「……それもちょっと」

「いえない？　じゃひとつだけ知りたい。なんでEEさんを装ってるの？　そうするように頼まれた？」

「頼まれてなんかいなくて……」千鶴はうつむいた。「ほんとは誰にも会っちゃいけなかった。だけど本物のEEさんは、大勢の人たちから愛されてるのに、わたしにはなにもない。だからいちどぐらいはと思って……」

打ち明けるうち自分が惨めに感じられてくる。果てしなく落ちこんでいくのを実感する。手首に嵌《は》めたブレスレットのパールビーズを指先でいじった。きょうここへ来るべきではなかった。

すると依茉がふたたび横に密着してきた。「わたしたち友達になれそう」

千鶴は驚いた。唖然《あぜん》としながら依茉を眺めた。

依茉が笑いながら見かえした。「なんでそんな顔するの?」

「だって……」千鶴は泣きそうになった。「わたしは嘘つきだし」

「ちがうよ。EEさん自体が謎みたいな存在だもん。千鶴さんはEEさんの友達なんだし、嘘つきでも偽者でもない。強いていうなら、千鶴さんもEEさんってこと。そうじゃない?」

胸がいっぱいになる。依茉は精いっぱい千鶴を気遣ってくれている。やさしさが身に沁《し》みる。本当に望んでいたのはこういう関係だったかもしれない。

千鶴は指先で涙を拭《ぬぐ》いながらきいた。「ほんとに友達になってくれる?」

「もちろん」

「でも……なんで？」

「わたしも友達がほしかったから。うちのダンススクールって、テツキみたいな子が多くて、ずっとつきあうのはちょっとね……」

「なら」千鶴の声は思わず弾んだ。「本物の瑛里華さんにも伝えておくから」

「ありがとう。でも江崎瑛里華さんに会わせてほしいとか、そんな頼みごとはしない。本人がその気にならないかぎりは」依茉が小指を差しだした。「わたしたちは友達。指切りしよ」

千鶴は半ば茫然《ぼうぜん》と応じた。小指を絡ませあうと、依茉の体温がほのかに伝わってくる。たぶん依茉は千鶴の孤独を察したのだろう。そう思うと依茉の親切心が胸に響く。歓《よろこ》びの感情が千鶴のなかにひろがりだした。この出会いには感謝しかない。

小指を絡めたまま依茉がいった。「きょうだけは千鶴さんを瑛里華さんって呼ぶね。ほかの誰にも明かさない、ふたりだけの秘密。約束しよ」

「約束する」千鶴は嬉しさのあまり涙ぐんだ。

そのとき、空席だと思っていた向かいのソファから、ひとりがむっくり起きあがった。美月が横たわっていたことを、千鶴はいま初めて知った。依茉も気づいていなかったのだろう、美月を見て驚きのいろを浮かべた。ずっとテーブルの陰になっていて、これまで姿がまったく見えなかった。

髪を撫《な》でつけながら美月が立ちあがった。千鶴と依茉を一瞥《いちべつ》することもなく、美月は眠たげな表情のままボックス席を離れていった。「踊ってこよ」

ダンスフロアに立ち去る美月の背を、千鶴は固唾《かたず》を呑《の》んで見送った。夜が更けてきたものの、まだかなりの音量で音楽が鳴り響いている。さっきの会話が美月の耳に届いたかどうか、微妙なところだった。依茉が不安げに黙りこくっている。千鶴も落ち着かない気分になった。依茉は事実を知っても理解をしめしてくれた。美月がどう思うかはさだかではない。

6

夜八時すぎ、紗奈は西成のマンションの自室へ帰っていた。

ジムで午後の筋トレを終えたのちは、ずっと図書館で読書にふけっていた。学校へ行かなくなったいま、高校の授業内容は独学で身につけねばならない。背伸びして十九歳になっている以上、相応の知恵や学力を備えておく必要がある。

将来はどうするのだろう。死者の誰かに成り代わったまま人生を歩んでいくのか。それも悪くないと紗奈は思った。いちどは失った命だ。とはいえそんなに長生きできるかどうかは、これからの身の振り方にかかっている。ヤクザや半グレとの抗争の日々は忘れたい。両親を死なせた奴らは皆殺しにした。ときどき悪夢に見るものの、生々しい記憶にともなう実感となると、かなり薄らぎつつある。ほとんどはもう過去になっていた。

机に座りノートパソコンを開き、ユーチューブをチェックしておく。けさアップロードした動画も、順調に再生回数が伸びていた。

コメント欄はいつもどおり盛況だったが、そのうちの一行が目に入った。きょうほんの少し前に投稿されたらしい。

@ringo2817　2時間前
きょう会えるのを楽しみにしてます！

紗奈は不穏な気配を感じとった。〝会える〟とはどういう意味だろう。オンライン越しの動画鑑賞の比喩《ひゆ》とは、とても考えにくかった。きょう紗奈は特別な配信を予定しているわけでもない。

すぐさまスマホを手にとった。千鶴に電話をかける。ＥＥこと江崎瑛里華の日常について、紗奈はユーチューブ動画の画面内しか請け負っていない。関知しているのもそれだけだ。残りは千鶴の役割になる。

呼びだし音が鳴ることもなく、人工音声が自動的に応答した。おかけになった電話は、電波の届かない場所におられるか、電源が入っていないためかかりません。

妙だった。スマホはいつでもつながるようにしておくきまりだったのに。紗奈はノートパソコンを操作し、ブラウザを立ちあげると、スマホ紛失時の対処用ページを開いた。千鶴のスマホのアカウントＩＤとパスワードは、合意のうえで共有してあった。位置情報がいつでも受信できるようになっている。

ところが地図上に現在地をしめすドットは現れなかった。千鶴がどこにいるのかわからない。電波が届かなくなっただけなら、そうなる直前の位置が表示される仕組みだが、いまはそれさえも機能しない。千鶴が長いこと電源を切っているとわかる。

嫌な予感を拒みえない。だがいま紗奈は大阪にいた。遠藤恵令奈がふたりいるのが人目に触れてはまずい。充分に距離を置くのは理にかなった判断だった。

ところがこういう事態になると、その確信も揺らいでくる。千鶴の現状をたしかめられない。無事でいるのだろうか。

　パソコンのブラウザに、ふたたびユーチューブを表示した。ringo2817のコメントをしばし見つめる。

　迷いや躊躇《ちゅうちょ》を長引かせる、そんな余裕自体がそもそもなかった。紗奈は立ちあがった。ワンピースに厚手のジャケットを羽織り、リュックを手にすると、そのまま玄関へと向かった。

　新幹線にするか、格安航空会社の国内便にするか、移動しながらスマホで検索すればいい。ユーチューバーが唯一の職業だし、翌日の通勤通学もない立場ゆえ、時間は充分にある。旅費もまったく問題ない。川崎のマンションで千鶴の無事をたしかめたかった。千鶴に会わないかぎり心が安まらない。大げさかもしれないが、なぜか懸念が払拭《ふっしょく》できない。

7

　美月はすっかり酔いがまわり、ボックス席のソファで背もたれに身をあずけていた。ほかの大男たちも同じ体たらくだった。なぜかコウやテツキの赤ら顔がはっきりと見てとれる。一同が酔い潰《つぶ》れているようすがやけに明瞭《めいりょう》だ。どういう理由だろう。

ああ、そうかと美月は思った。薄暗かったヨコハマベイクラブの店内は、間接照明から地明かりに切り替わっていた。音楽が鳴りやんでいることにようやく気づいた。閑散としている。ダンスフロアに近いテーブルの上には、椅子がひっくりかえされた状態で載せてある。従業員のひとりは片付けに追われ、もうひとりもモップで床を拭《ふ》いている。

閉店だ。美月は声をかけた。「テッキ」

「あ？」

「そろそろでなきゃやばくね？」

テッキがわずかに身体を起こし、ぼんやりと辺りを見まわした。「あー。コウさん。もうでなきゃいけねえみたいっスよ」

リーダー格のコウはまだ立ちあがらなかった。天井を仰ぎながらコウがつぶやいた。「そっか。おいジュラハン、会計」

五分刈りに口髭《くちひげ》のジュラハンが腰を浮かせた。「割り勘な」

江崎瑛里華と依茉は、ふたり寄り添うように座っていた。依茉がきいた。「瑛里華さんのぶんもださせる気？」

巨漢らが視線を交錯させた。みな酔っ払っているせいで、どこかとぼけた感のある仏頂面を突き合わせる。

瑛里華が身体を起こし、ミニショルダーバッグをまさぐった。「わたし、ちゃんと払いますから」

コウがつぶやいた。「だろうな」

不穏な空気を察したのか、瑛里華の表情がこわばった。依茉も似たような反応をしめした。巨漢らが続々と立ちあがる。美月もそれに倣った。瑛里華や依茉とは、なるべく視線を合わせないようにした。

足もともおぼつかない一行が、建物の外にでたとき、駐車場からすっかりクルマが消えていた。かなり遠くの暗がりに、ワンボックスカーが二台だけ残っているのが見てとれる。コウがそれらを指さした。「俺たちのクルマはあっちだ」

ふらつきながらぞろぞろとクルマへ向かう。辺りにはもう誰もいなかった。ライブハウスの裏手側にあたるため、エントランスも見えなくなった。ここなら従業員の目にもとまらない。

闇のなかを二台の駐車位置に近づいた。いずれもトヨタのグランエースだった。誰かがスマートキーでロックを解除した。点滅するウィンカーランプがやたら目に眩《まぶ》しい。酔っ払いばかりなのに運転できる者がいるかどうか、美月は特に気にかけたりしなかった。このメンツではいつものことだ。

二台ともスライドドアが開いた。大男たちがだるそうにステップを上り、車内へと消えていく。美月はまだ外に立っていた。瑛里華と依茉がステップへと向かった。ところが瑛里華が乗りこむ寸前、先に乗車していた肥満体のマックスが顔をのぞかせた。マックスは瑛里華を突き飛ばした。瑛里華は悲鳴とともにアスファルト上で尻《しり》餅《もち》をついた。

依茉があわてて駆け寄り、瑛里華のわきでひざまずいた。「だいじょうぶ?」

瑛里華はさも痛そうにしている。依茉は怒りのまなざしでマックスを仰ぎ見た。するとマックスは車外に降り立った。すでに乗車していた巨漢らも、続々とまた姿を現し、瑛里華と依茉を取り囲んだ。ふたりの少女が怯《おび》えたようすで身を寄せ合うのを、美月は冷やかに見守った。

コウが瑛里華を見下ろした。「踊れよ」

「は、はい……?」瑛里華は立ちあがることもできないらしい。「あのう……」

「なんだっけ、おめえ。千鶴だったか」

瑛里華を名乗っていた千鶴の表情が恐怖に満ちた。そうそう、千鶴だ。美月はみずから告げ口しておきながら、偽EEの名前を忘れていた。これも深酒のせいだろう。

依茉が美月を睨《にら》みつけてきた。美月は顔をそむけた。事実を知りながら隠そうとするほうが悪い。

巨漢のひとりミナトが、テツキにヘッドロックをかけた。「おい。きょうEEが来るっていったのはおめえだよな」

テツキはあわてぎみにじたばたと暴れた。「俺もだまされたんスよ！　川崎で美月に紹介されて……」

にわかに火の粉が飛んできた。美月も取り乱さざるをえなかった。「ちょっと。わたしだって、テツキが来る寸前に会ったばかりだったんだって。この千鶴って女、ちゃんと自分で江崎瑛里華って名乗ったもん」

依茉が千鶴を庇《かば》った。「やめてよ。なんで寄ってたかってそんな言い方すんの？　EEさんが何者かなんて、はっきりしてないでしょ」

タンクトップ姿のバジルが詰め寄った。「ならはっきりさせりゃいい。おい、てめえ。踊ってみせろよ」

千鶴はへたりこんだまま涙ぐんでいた。「ごめんなさい……」

「なに謝ってやがる。俺たち相手に嘘こきやがって、ただで済むと思ってんのかよ」

「まってよ」依茉が抗議した。「どんな事情があるかも知らないで……」

「事情もへったくれもあるか。どうあっても踊らねえってんなら、踊れる身体かどうかたしかめてやる」

バジルの手が千鶴に伸びた。胸倉をつかみあげられた千鶴が、叫び声とともに身悶《みもだ》えした。制止にかかろうとした依茉が、シバに羽交い締めにされ引き離された。ひとりになった千鶴を、バジルやミナトがアスファルト上に押さえつけた。ミナトがわめいた。「筋肉があるかどうか見てやらぁ！　あ？　ずいぶんブニョブニョじゃねえかよ。全身が尻みてえに柔らけえぜ」

巨漢らが下品な笑い声を発した。美月も笑っていた。いい気味だと心底思った。いま千鶴を懲らしめる側にまわることは重要だった。すべてが自分の勘ちがいに端を発している、その罪を帳消しにできる。本当は川崎のバーで、美月が千鶴をEEと決めつけなければ、こんな事態にはならなかったのだろう。だが否定しなかった千鶴が悪い。この女は浮かれ気分で、きょうものこのこ現れたではないか。依茉も同罪だった。

真実に気づきながら口をつぐもうとした。

厚い胸板にヒョウ柄のコートを羽織ったスキンヘッド、ムクロは関心なげに、もう一台のクルマに立ち去った。バジルとミナトはしきりに千鶴をもてあそんだ。好き放題に全身を撫《な》でまわすと、千鶴が泣きわめきながら身をよじり、必死に抵抗する。そのさまを眺めながら、美月は腹を抱えて笑った。

だが徐々に自分の笑顔が凍りつくのを自覚しだした。バジルが千鶴の服を破いたからだ。ふたりは千鶴を脱がせにかかった。肌の露出面積がどんどん増えていく。千鶴が両手を振りかざし激しく拒んだ。するとミナトが千鶴の顔面を殴った。一発にとどまらなかった。二発三発とこぶしを振り下ろす。鈍い打撃の音が響き渡った。

依茉が羽交い締めにされたまま叫んだ。「やめて！」

コウは顎《あご》をしゃくった。「そっちへ連れてけ。先にでろ」

シバが依茉をもう一台のクルマへと引きずっていった。キラやジュラハンもそちらにつづく。

美月は困惑した。テツキもおどおどしながら逃げていった。本当は自分もこの場を立ち去りたい。しかし一台にはもうムクロ、シバ、キラ、ジュラハン、テツキ、依茉が乗っている。グランエースは六人乗り仕様だった。もう満員だ。

六人を乗せたクルマ一台のエンジンがかかった。ヘッドライトを灯《とも》すと、すぐに走りだした。駐車場の闇のなかを赤いテールランプが遠ざかっていく。

ここに居残るのは美月のほか、千鶴を襲うバジルとミナト、見守るリーダー格のコウ、肥満体のマックスだった。

千鶴はもう服のほとんどを裂かれ、胸や尻もあらわになっていた。その状態でバジルに引き立てられる。腕や脚にわずかな布の切れ端が残るのみだった。バジルが投げ飛ばすと、千鶴はふらふらとマックスの前に移動した。マックスが千鶴に腹蹴《はらげ》りを食らわせた。むせながら千鶴がくずおれた。

「ちょ……」美月はうろたえながらいった。「さすがにやばくない?」

コウがじろりと睨みつけてきた。美月は怖《お》じ気づき、思わず後ずさった。いまは沈黙を守るにかぎる。とばっちりを受けたら最悪だ。

千鶴の顔はボクサーのように腫《は》れあがっていた。片目が開かなくなり、口の端からは血が滴る。さっきまで泣きわめいていた声が嗚咽《おえつ》にかわり、いまやただ呻《うめ》き声を発するばかりになった。巨漢らは千鶴を突き飛ばし合い、殴る蹴るの暴行を加えた。千鶴は血ヘドを吐いていた。肋骨《ろっこつ》が折れたのか、もうまっすぐ立てずにいる。よろよろとふらつくばかりになった千鶴を、ひとしきり痛めつけたのち、当たり前のように輪姦《りんかん》が始まった。肥満体のマックスがズボンを下ろし、仰向《あおむ》けの千鶴の上に覆いかぶさった。

さすがに正視する気になれない。美月は遠くを眺めた。ふとライブハウスの建物が気になる。従業員らも後片付けを終え、外にでてくるころではないのか。

だが建物の明かりはいつしか消えていた。とっくに店じまいが完了している。従業員たちは駐車場の隅での騒ぎに気づかなかったのだろうか。目にはとめても関わりを避けたのかもしれない。世間はそんなものだった。川崎のバー、イルデフォンソは未成年に酒をだす。ここのライブハウスも酔っ払いの暴行に見て見ぬふりをする。

アルコールのせいで思考が鈍化しているのは、美月も同じだった。みずからとった行動をしばらく後になって自覚する。いつの間にか両手で耳を塞《ふさ》いでいた。どんなに強く耳を圧迫しようとも、千鶴の助けを求める涙声が消え去らない。巨漢らの罵声《ばせい》や笑い声は、もっと大きな声量できこえてくる。

美月はとりあえず歌うことにした。思いつくままにあらゆる歌を口ずさむ。ポップスから童謡までさまざまだった。耳を塞いだ状態なら、自分の歌声が内耳に籠《こ》もって反響し、ノイズも掻《か》き消される。途中から新しい曲が思いつかず、同じメロディの繰りかえしになった。それでもかまわなかった。千鶴の甲高い悲鳴があがるたび、美月も発声を長引かせた。

どれだけ時間が経ったかわからない。エンジン音が響いている。美月は両手を耳から離し、後方を振りかえった。

ワンボックスカーのヘッドライトが点灯している。側面のスライドドアが開放されていた。コウが助手席に乗りこんだ。ミナトがこちらを見て、乗れと顎をしゃくる。美月は小走りにクルマへ駆け寄った。千鶴がどうなったか気になる。先にクルマに乗せられたのだろうか。

そう思ったとき、視界の端に千鶴の姿をとらえた。クルマに乗ってはいなかった。アスファルト上に、ほぼ全裸の千鶴がうずくまっている。辺りには破れた衣服が散乱していた。駐車場にたったひとり放置され、巨漢らはみな車内に消えていく。美月も逃げるようにワンボックスカーのキャビンに駆けこんだ。

最後列の座席におさまりシートベルトを締める。隣は空いていた。ほかの座席は運転席も含め、すべて巨漢で埋まっている。千鶴を乗せられるひと席はある。だがスライドドアは閉じられた。

クルマがゆっくりと動きだす。窓の外に千鶴が見えた。ぎこちない動作で立ちあがり、脇腹を押さえながら、片足をひきずり歩きだした。なんとか逃げようとしている。

運転席でハンドルを握るのはバジル、助手席にコウがいる。クルマの進路が千鶴に向いた。フロントガラスの向こう、裸体の傷だらけの背中が白く浮かびあがる。あろうことかクルマが加速しだした。千鶴は必死に逃げつづけるが、クルマがみるみるうちに迫る。

衝突の寸前、美月は顔を伏せようとした。だがクルマは美月が思ったよりも速度がでていた。予想より早く千鶴は撥《は》ね飛ばされた。鈍い音とともに衝撃が車体を揺すった。なにかが破裂したも同然に、フロントガラスに赤ペンキがぶちまけられた。

クルマが減速した。ウォッシャー液の噴出とともにワイパーが作動する。運転するバジルが平然とフロントガラスの血を処理している。それでもたぶん車体前方は大きく凹《へこ》んだはずだ。

美月は恐る恐るサイドウィンドウの外を眺めた。全裸の千鶴が、ありえないかたちに身体を捻《ね》じ曲げ、斜め後方に倒れていた。顔はこちらを向いている。白目を剝《む》き、口をだらりと開け、血の混ざった涎《よだれ》を垂れ流していた。

「ひっ」美月はあわてて前方に向き直った。見るべきではなかった。

完全に停車したのち、助手席のコウが振りかえった。「処分してこい」

肥満体のマックスは、さほど抵抗もなく立ちあがったが、ミナトはそうでもなかった。渋る態度をしめしながらミナトがきいた。「海に放るとか？」

するとバジルが振り向いた。「蛇腹ホースとポリ容器なら積んであるからよ。ガソリン抜き取って、あいつにかけて燃やせばいい」

コウが背を向けた。「さっさとやっとけ。酔いが醒《さ》めねえうちに飲み直しだ」

ミナトがやれやれとばかりに腰を浮かせた。「わかったよ」

マックスとミナトが車外へでていく。美月はもうサイドウィンドウに目を向けまいと心に誓った。後部ハッチが開き、ふたりがなにかを取りだしたとわかる。バジルのいう蛇腹ホースだろう。クルマからガソリンを抜き取るのは違法だときいたが、給油口をいじる音がする。ガソリンのにおいが車内にも漂ってくる。

それからしばらくはなんの音もしなかった。外にでたふたりが、いま千鶴をどうしているのか、現状など知りたくもない。

ところがバックミラーを見てしまった。マックスとミナトはふたつ折りの裸体を運び、駐車場の端に並ぶ古びたドラム缶のひとつに投げ落とした。そこに手早くポリ容器の中身をぶちまけ、ライターで火をつけた。

思わず震える声を発し、美月は顔を伏せた。今度こそもうなにも知りたくない。

ほどなくバジルがクルマを走らせた。徐行しながらUターンする。妙な運転にどうしても視線があがる。斜め前方にマックスとミナトが見えた。ふたりはバスの到着をまつようにたたずんでいる。ヘッドライトの照射範囲外、闇のなかにもかかわらず、ふたりの姿が明瞭《めいりょう》に見えた。近くに光源があるからだ。揺らぐ炎が一本のドラム缶から噴きだしていた。蓋《ふた》はしっかり閉じられ、上にブロックも載せてあるが、側面の亀《き》裂《れつ》から火柱が立ち上る。かなり勢いよく燃え盛っている。遠目にも気づかれるのではないか。そのうち通りすがりの誰かが消防に通報しそうだ。

スライドドアが開いたとき、焦げくさいにおいが漂ってきた。美月は吐き気をもよおした。マックスとミナトが車内に戻った。ドアが閉じ、クルマは速度をあげた。

炎が後方へと遠ざかる。異様なほど寒かった。身体の震えがとまらない。美月は両手で頭を抱えた。

テッキの先輩たちとは前にも何度か会った。悪い連中だとはわかっていた。躊躇《ちゅうちょ》なく無茶をするのが、当初は痛快だった。だがきょうは行き過ぎている。殺すとは思ってもみなかった。しかもどうやら手慣れているらしい。こんなふうになるなんて想像もつかなかった。自分の責任ではない、美月は心のなかで何度もうったえた。千鶴を殺すよう仕向けたわけではない。

浴びるほど酒が飲みたい。美月はそれだけを欲していた。ひと晩の悪い夢だ。早く忘れてしまいたい。この人たちにはもう会いたくない。

8

紗奈は川崎の港町駅で降りた。終電間近で、ホームにはほとんどひとけがなかった。階段を下るや改札を駆け抜け、暗い歩道を走っていく。

この辺りは起伏もなく平らだった。遠くまで見渡せるが、人影は目につかない。車道もクルマの往来が途絶えている。葉をつけない並木の枝が風に揺れ、路面を落ち葉がかさかさと舞う。物音もそれだけだった。

駅前のタワーマンションに着いた。タイル張りの私道の先にエントランスがある。オートロックに戸惑うことはない。暗証番号はわかっている。紗奈が遠藤恵令奈として入居した物件だ。防犯カメラも警戒する必要はなかった。ここの住人なのだから堂々と顔をさらせる。ロビーで千鶴とばったり会ったら困りものだが、たとえそうなったとしても迷惑には感じない。それ以上に無事を喜べる。いますぐにでも偶然でくわしたい。

ロビーのわきには凹《くぼ》んだ区画がふたつある。ひとつは自販機コーナー。もうひとつには、住人用の郵便受けの扉が縦横に並んでいる。外から部屋別に宛てて配達された郵送物を、建物内で取りだせる仕組みだった。いま中年男性がひとり、なぜか洋菓子のアルミ製容器を、郵便受けのなかに収めていた。包装もしていないし、取りだすのではなく収めるとは、一見奇妙な行為に思える。だがなにをしているか紗奈には想像がついた。

紗奈はひとりエレベーターに乗り、高層階へと上がった。内通路を足ばやに突き進む。自室の玄関ドア前に立った。チャイムなど鳴らさない。ひとり暮らしの遠藤恵令奈にとっては不自然な行動だからだ。鍵《かぎ》を挿しこんでひねり解錠すると、すぐさまドアを開け放った。紗奈はなかに踏みこんだ。

明かりは消えている。後ろ手にドアが閉まるのをまってから、紗奈は暗がりに呼びかけた。「千鶴？」

返事はなかった。壁のスイッチをいれ照明を灯《とも》す。靴を脱ぎフローリングにあがると、紗奈は1LDKの室内をたしかめた。誰もいないことはすぐにわかった。クローゼットの扉が半開きになっている。ベッドの上には衣服も散乱していた。着替えたうえでどこかへでかけたらしい。

机にスマホが放置してあった。電源が切れている。紗奈の胸に暗雲が垂れこめだした。

外出にあたりスマホを持ちださなかった。紗奈に位置情報を知られたくないと思ったのだろう。この時間にもまだ帰っていないのが問題だった。スマホの電源をいれた。ロックがかかっていたが、顔認証で自然に解除された。千鶴と同じ顔だからだ。メールには紗奈以外とのやりとりの痕跡《こんせき》はなかった。ほかのアプリについては、じっくりと調べてみなければわからない。

なんにせよもう心穏やかではいられない。紗奈は玄関へひきかえした。靴を履きドアの外へでる。施錠したのち、内通路をエレベーターへと急いだ。

行く手でエレベーターの扉が開いた。カーディガンにロングスカート姿の二十代女性が、ペットボトルの飲料を手にしながら、内通路にでてきた。外出には薄手な装いだ。下の自販機まで行き来しただけにちがいない。

女性が紗奈を見て足をとめた。「あ、こんばんは」

「……こんばんは」

「きょうはこんな時間にでかけるんですか」

紗奈のなかに緊張がひろがった。どう答えれば不審がられず情報を引きだせるだろう。迷っている時間はない。千鶴に似せた口調で紗奈はいった。「このあいだと同じところへ行くつもりですけど、場所がわからなくて。まだこの辺りはよく知らないんです」

「そう。東口のどの辺り？」

東口。川崎駅東口か。繁華街にまず繰りだそうとして、ネットで検索した結果、そこしかないと思ったのかもしれない。女性が具体的な地名や店名を口にしないのだから、千鶴にもそれ以上の発言がなかったとわかる。

もう少し鎌《かま》をかけてみることにした。紗奈はささやいた。「どの辺りかはちょっと……。知ってるお店も開いてなくて」

「ふうん。休みだったのかしらね」

千鶴が遅くに部屋をでたのなら、閉店時間をまわっている可能性が生じる。店の業種を知りもしない女性が、休みときめつけるからには、千鶴はまだ早いうちにでかけたのだろう。今夜が初めての外出でないこともわかった。

女性の態度から察するに、千鶴とは顔見知りていどの間柄のようだ。住人どうしの社交辞令の会話を、あまり長引かせるのは不自然に思われる。紗奈は会釈した。女性も軽くおじぎをしながら、気をつけて、そういって歩きだした。

内通路の角を折れていった女性を、ひそかに尾行する。遠藤恵令奈の部屋の隣に住んでいるらしい。ドアを開け室内に消えていった。

千鶴は先日もでかけた。その際に隣の住人と会い、言葉を交わした。極端な人見知りの千鶴にしてはめずらしい。それだけ人とのつながりに飢えていたのではないか。千鶴との電話が想起される。ひとりはやだ。心細いよ。そう千鶴はうったえてきた。

出会い系アプリの有無やSNSについては、スマホをあとで調べるとして、衝動的に外出したとしたら、どんな行き先が考えられるだろう。友達もいない孤独な身で、背伸びして繁華街に繰りだす。ネットカフェへ行ったところで友達はつくれない。酒のでる店にさまよいこむことは考えられる。接客側で働きだすのは、千鶴にかぎっては当てはまらない。金には困っていないし、彼女の求める人づきあいは、そんなことではないからだ。川崎駅東口のどこかで、気にいった店にふたたびでかけた。あるいはそこで知り合った誰かと、ほかで会う約束を交わしたか。

紗奈はエレベーターのボタンを押した。扉が開くや乗りこんだ。心配しすぎかもしれないが、千鶴の身を案じられる人間はほかにいない。たったひと晩だろうと、いなくなった千鶴をけっして見過ごせない。

9

美月は車内の天井についたデジタル時計を見上げた。午前二時をまわっている。

途中でどこかのドン・キホーテに寄り、ミナトが酒を大量に買いこんできた。ウィスキーの角瓶を美月は呷《あお》っていた。味どころかにおいもきついはずの酒が、いまはストレートでも水みたいに感じる。もっと酔いたい。さっき起きたことが生々しく想起できるようでは、まだシラフと同じだ。

クルマは徐行していた。都内の街なかを走っていたはずが、サイドウィンドウの外に見える景色は、港の埠頭《ふとう》だった。どの辺りだろう。よくわからない。接岸する船もなく閑散としているが、別のワンボックスカーが並走している。こちらと同じトヨタのグランエースだとわかる。

ああ。さっき分乗したもう一台だ。ここで合流することになっていたのだろう。そう思っていると、向こうの車体が異常に接近してきて、危うくぶつかりそうになった。バジルが悪態をつきながらハンドルを切った。互いにクラクションを鳴らし、また距離を広げていく。ニアミスは双方の運転手が酔い潰《つぶ》れているからだろう。

クルマが停まった。ミナトは気分が悪いのか、駆けだすように降りていった。肥満体のマックスが悠然とつづく。運転席のバジルと助手席のコウも降車する。コウは車外に消える寸前、美月を振りかえった。降りるよう目でうながしてくる。美月は仕方なく腰を浮かせた。

埠頭には磯のかおりが立ちこめていた。街灯はやけに黄いろい。視野のすべてがセピアいろに染まって見える。さっきヨコハマベイクラブで別々になった一行が、またひとつになった。五分刈りに口髭《くちひげ》のジュラハンや、スキンヘッドに厚い胸板のムクロが戻った。巨漢らの狭間《はざま》で、テッキはあきらかに腰が引けていたが、まだかろうじて強がりを維持している。

美月はなるべくテッキの近くに立った。ほかの巨漢らは何度か会っただけだし、血も涙もない奴らだと思い知った。頼れるかどうかは怪しくても、最後はたぶんテッキにすがるしかなくなる。

依茉も同じ気持ちなのか、テッキと並んでいる。美月と依茉はテッキを挟んで両脇に立っていた。依茉が憎悪に満ちた目で美月を睨《にら》みつけてくる。美月は弱気になる一方、苛立《いらだ》ちもおぼえていた。この依茉という女は、テッキが勝手に呼んだだけだろう。たかが告げ口ぐらいで、逆恨みもいいところだ。

集まった顔ぶれを見まわし、依茉が訝《いぶか》しげにきいた。「千鶴さんは?」

巨漢らが顔を見合わせた。誰ひとり気まずそうな表情を浮かべない。

コウが依茉にいった。「死んだ」

真っ先に息を呑《の》む反応をしめしたのはテッキだった。依茉のほうは悪い冗談だと思ったらしく、問いただすようなまなざしを、まだコウに向けている。コウは黙っていた。ほかの大男たちも無言を貫いている。

ただならぬ空気を察したらしい。依茉の顔が硬くなった。また冷たい視線を美月に投げかけてくる。美月はうつむかざるをえなかった。

しばらく依茉は沈黙していた。しかしふいにスマホをとりだした。通報する気なのは明白だった。バジルがただちに距離を詰め、依茉の手からスマホを叩《たた》き落とした。

愕然《がくぜん》とした依茉がバジルを見た。表情に怯《おび》えのいろがひろがる。依茉はコウへと目を移した。恐怖にいっそう血の気が引いたようだ。依茉は後ずさると、いきなり身を翻し、埠頭を逃走しだした。

ムクロとジュラハン、キラが追いかけていった。街灯の下を逃げる依茉の姿が、闇のなかに消えたかと思うと、また別の街灯に照らされる。明暗の落差のなかを依茉が逃げる。けれども三人がどんどん追いあげていく。

捕まえて連れ戻す、それだけだろうと美月は思った。だが不穏な気配が漂う。ムクロがヒョウ柄コートの下から鉄パイプを引き抜き、右手にぶらさげているからだ。気づけばジュラハンやキラも似たような凶器を保持している。

ムクロが依茉の後方に迫った。タックルして押し倒せるほど距離が詰まった。しかしムクロは両手を突きだしたりせず、ただ鉄パイプをスイングし、依茉の後頭部を水平に強打した。硬い物が砕ける音が響き、依茉がつんのめった。街灯の光だけでも、鮮血が飛び散ったのがわかる。

美月は慄然《りつぜん》とした。思わず悲鳴をあげかけた。声を発するのを必死に自制したのは、巨漢らが向き直るのを恐れたからだ。もう女は美月ひとりになってしまった。毒牙《どくが》にかかりたくない。

突っ伏した依茉の頭に、ジュラハンとキラも棒状の凶器を振り下ろす。三人でこぞって滅多打ちにする。依茉の首から上が、もはや原形を留《とど》めず粉砕されているのが、この距離からも見てとれた。

テツキが狼狽《ろうばい》していた。膝《ひざ》の震えが顕著になり、たちまちふらついた。寄りかかってきたテツキの手を美月は振りほどいた。こんな情けない男に関わりたくない。

ムクロら三人が動きをとめた。打撃を加えるべき対象物が、すでに失われたからだろう。埠頭に虚無感が漂いだした。夜は陸から海へ風が吹くらしい。潮のにおいではなく異臭が鼻をつく。

闇の彼方《かなた》に赤色灯が浮かびあがった。美月はひやりとした。一般道から埠頭へとパトカーらしき車両が進入してくる。通報でもあったのだろうか。

コウは動揺したようすもなく、落ち着いた声で仲間に呼びかけた。「おいムクロ！　海に投げ捨てとけ。先に行くぞ」

バジルやマックスらが、さっきのワンボックスカーへと戻っていく。美月も死にものぐるいで駆けだした。巨漢たちを追い、クルマのスライドドアへ向かう。乗りこもうとしたとき、テッキと鉢合わせになった。美月はテッキを睨んだ。弱腰になったテツキが、たじろぐように身を退かせた。美月は先に乗車した。

座席におさまると、美月は両手で耳を塞《ふさ》いだ。知覚でとらえられるすべてをシャットアウトしたい。そう思っても前方が気になる。いっこうに目を閉じきれない。コウが助手席に乗った。クルマは急発進した。パトカーが到達するより早く、埠頭から別の出口へと脱出を図る。

ムクロらが依茉の死体を海に投げこむのを見た。同世代の少女がふたり死んだ。哀悼の余裕などない。自分が犠牲になりたくない。どこかで無事に降ろしてほしい。それ以外はなにも望まない。

10

午前三時を過ぎている。紗奈は川崎駅の東側、東田町界隈《かいわい》の路地をめぐっていた。この時間になると、ほとんどの店のシャッターが下り、人通りもまばらだった。あちこちにゴミ袋が山積みになっている。野良猫が目の前を横切っていった。気温が低い。陽が昇るまでは静かになる一方だろう。

紗奈は歩きながら千鶴のスマホを操作していた。ラインはメッセージを削除した痕《こん》跡《せき》がある。SNSには特に異常がみられない。ただしカメラ機能には先週撮影した画像が残っていた。

青い照明が特徴的な店内で、千鶴が巻き髪の女と一緒に自撮りしている。後ろには鼻ピアスのほか、数人の男たちがひしめきあい、記念撮影に参加していた。巻き髪の女や鼻ピアスの男はまだ若く、十代半ばに見える。そのわりには赤ら顔だ。未成年に酒をだす時点でまともな店ではない。

背景から店を特定するのは困難だったが、この画像ファイル自体に、撮影日時とGPS位置情報が記録されている。専用アプリでプロパティを開いてみると、先週のなかごろ、夜十一時過ぎに撮った画像だとわかる。北緯と東経でしめされる座標は、ここ東田町の一角だった。千鶴が先週でかけたときには、スマホを持って行ったとわかる。

いまナビのマップにくだんの座標を目的地設定してある。スマホが振動し到着を告げた。紗奈は辺りを見まわした。数軒のキャバクラがまだ営業中だった。ほかにカジュアルスタイルのバーが一軒。看板にはイルデフォンソとある。ガラス張りで店内の照明は青、カウンター席が埋まっている。客は男性ばかりで、二十代からせいぜい三十歳ぐらいが多いものの、ひとりかふたり十代半ばらしき顔がある。

紗奈はエントランスのガラス戸を開けた。大音量の音楽に揺さぶられる。カウンターで談笑する客たちの一部が振りかえった。

男性客が目を丸くした。「あれっ」

さっきの画像で千鶴の後ろに映っていた男たちだった。連れも驚きのいろを浮かべた。「江崎瑛里華さん。今夜はヨコハマベイクラブじゃなかったんスか」

「馬鹿」さらに別の客が笑った。「あそこは十一時か十二時で終わりだろ」

「あー。じゃあ帰りっスか。ミヅキやテツキは？」

バーテンダーは目つきの悪い青年だった。カウンターの上を拭《ふ》きながらぶっきらぼうにこぼした。「また眉唾《まゆつば》さんがちやほやされたくて来たか。営業妨害だよ」

客たちがしらける反応をしめした。最初に声をあげた男性客がバーテンダーにいった。「なんだよアキオ。そりゃどういう意味だ？　ＥＥさんは眉唾じゃねえだろが」

アキオと呼ばれたバーテンダーは顔をあげなかった。「本人ならな」

鈍い感触が紗奈の胸のうちをよぎる。本物のＥＥでないと確信しているような態度。千鶴が来たときにぼろをだしたのなら、客たちも気づいているはずだ。アキオだけが欺かれなかったのか。理由はおおよそ察しがつく。けっしてアキオの観察眼のためばかりではないだろう。

バーテンダーが自信たっぷりに、偽者のＥＥだと示唆したせいか、客たちは当惑しだした。紗奈に怪訝《けげん》そうな目を向けてくる。

やれやれ。紗奈は鼻を鳴らすと、フロートのステップでカウンターの空席へと近づいた。ムーンウォークに似た技だが、前にだした脚に体重を乗せ、けっして靴底を浮かさず、床に滑らせながら戻す。と同時にもう一方の脚の膝を曲げる。その繰りかえしにより、すいすいと浮揚しながら横移動しているように見える。

たったこれしきの技の披露で、客たちはいっせいにどよめき、過剰なほど沸き立った。初めて見るＥＥのパフォーマンスだからだろう。紗奈は空席の手前に立った。カウンターの向こうでアキオはぎょっとする反応をしめした。本物のEEだったと知り、にわかに驚愕《きょうがく》している。アキオの右手が不自然にカウンターの下へと伸びた。

紗奈はすかさずアキオの胸倉をつかみ、瞬時に引き倒した。アキオの顔面はカウンターに叩きつけられた。グラスや小皿が割れる音がした。客たちが息を呑《の》んだのがわかる。

「まて」アキオが痛そうに顔をしかめながら、右手をカウンターの陰からだした。握られていたのはナプキンだった。呻《うめ》き声とともにアキオがぼやいた。「接客しようと思っただけだ」

まだ胸倉をつかむ手を放さず、紗奈は客たちにいった。「でてって。きょうはもう閉店」

男性客らの顔が青くなった。怯《おび》えに身を退かせるように席を立ち、会計もせずガラス戸から退散していく。紗奈と同い年かそれ以下の少年もふたり交ざっていた。

店内は紗奈とアキオのふたりきりになった。紗奈はカウンターを挟みアキオをねじ伏せている。アキオがもがきながら苦言を呈した。「ひでえな。あいつら無銭飲食だぜ」

「明日以降も生きてカウンターのなかに立てるのなら、わたしが払ってあげてもいいけど」

「そりゃ脅しか？　どういう理屈で俺に暴力を振るってる？」

「未成年に飲酒させてる時点でカタギじゃないでしょ。偽ＥＥの噂をきいてる以上は元衡田組《ひらたぐみ》のチンピラ」

「なんてこった。噂は本当だったのかよ。替え玉にアリバイ工作させて、兄貴たちを殺しやがったのか」

「兄貴って呼ぶってことは……」

「元兄貴だよ！　組は解散してるし足も洗った。多少の違法行為ぐらいは大目に見ろ。おめえだってヤクザを大勢殺しただろが」

紗奈は突き飛ばすように手を放した。アキオは身体を起こすと、よろめくように後ずさった。

「ったく」アキオはさも苦しげに喉《のど》もとを掻《か》きむしった。「ほんとに十六かよ。とんでもねえ怪力を発揮しやがる」

「もう十七になった」紗奈はアキオから目を離さなかった。「両手を見えるとこにだしといてほしいんだけど」

「この辺には刃物の類《たぐ》いはねえ。誓ってもいい。なんでそう疑心暗鬼なんだ」

「立地からして、未成年に酒なんかださなくても、そこそこは儲《もう》かるでしょ。シノギになりふりかまわないのは、どっかへの上納金が必要だからじゃなくて？」

「そりゃこの稼業にはいろいろあるんだよ。堀之内のソープ街がまだ存続してるのを見りゃわかるだろ。衡田組がいなくなりゃ別の勢力がでばってきて牛耳る。ここんとこはベトナム系ヤクザにやられっぱなしでよ」

「きいたこともない」

「あんたこの近辺にいなかったんじゃねえのか？　ベトナム人のバドミントン天才少年がいたろ。帰化して田代勇次《たしろゆうじ》って名前になったやつ。あれの一族が川崎の新支配者だぜ」

テレビでもよく見かける有名人だった。紗奈は取り合う気になれなかった。「冗談は顔だけにして」

「顔のことはいうな。俺はほんとのことしかいわねえ」

「なら教えて」紗奈はスマホをタップした。千鶴が巻き髪の女たちと一緒に撮った画像を表示する。スマホの画面をアキオに向け、紗奈は問いただした。「ここで撮った画像？」

「ああ」アキオが指さした。「あんたの替え玉を除いて、みんなうちの常連だ。この女はミヅキ。これがテツキ。あとはさっきいた連中だよ」

「仲よさそうにしてるのはなんで？」

「実際に打ち解けてたからだろ。ＥＥだ江崎瑛里華だって、ミヅキがいいだして、ほかの奴らも大盛り上がりでよ。俺は胡散臭《うさんくせ》えと思ってたけど」

「衡田組だから？」

「おい。そうやっていちいち万死に値する悪党ときめつけるのはよせ。噂を知ってたのはたしかに大きいけどな、ミヅキが観せてくれた動画と、あの子はだいぶちがってたぜ？　顔はうりふたつでも、やけに自信がなさそうだったしな」

ダンスに興味のない人間のほうが、かえって真実に気づきやすいのかもしれない。千鶴がいっそう心配になってきた。紗奈はアキオを見つめた。「ヨコハマベイクラブって？」

「新山下にあるライブハウスで、ふだんはＤＪのいるクラブだな。テツキがそこにＥＥを……あんたの替え玉を招いたんだよ。先輩と集まるからって」

「夜十一時か十二時で終わりっていうのは……」

「それも本当だ。僻地《へきち》にあるし、近場で飲み歩くこともできやしねえし」

「ならいまはもう閉まってる？」

「そりゃとっくに従業員も引き払ってるだろうよ。でもなにかあって、誰か居残ってんのなら、電話にはでるだろ。かけてみりゃいい」

横浜へ行くには始発をまつか、電車以外の交通手段を用いるしかない。閉店後のライブハウスを訪ねるべきか。無人なら誰かに話をきくこともできず徒労に終わる。そのあいだに千鶴がマンションに帰ってこないともかぎらないし、連絡が入るかもしれない。

ため息とともに店内を見まわした。カウンターの上にも床にも、割れたグラスや皿の破片が飛散している。

リュックをまさぐり、いつも緊急用に持ち歩いている百万円の札束を、カウンターに置いた。銀行の帯に紙片を挟んでおく。踵《きびす》をかえしながら紗奈はいった。「未成年にお酒はださないで。テツキかミヅキが現れたら、そのメモの番号に電話して」

「マジか」アキオの感嘆の声とともに、札束を取りあげる音がした。「ユーチューバーって儲かるんだな。女子高生は最強ってやつか。田代一家もぶっ殺してくれりゃ……」

紗奈は外にでると、後ろ手にガラス戸を叩《たた》きつけた。チンピラと馴《な》れ合う気はない。軽々しく殺人に言及するのも吐き気をおぼえる。

路地を歩きながらスマホをいじる。ヨコハマベイクラブを検索し、電話番号をタップした。通話状態にはなったが、自動応答メッセージが流れるだけだった。本日の営業は終了しております……。

自然に歩が速まる。情報が少なすぎる。夜明けまでろくに動けそうにない、そんな現状がもどかしい。それでも千鶴を捜せるのは自分ひとりだ。己の分身である以上、警察に行方不明者届などだせない。

11

紗奈は徒歩でタワマンに戻った。高層階の自室をたしかめたが、やはり千鶴は帰っていなかった。

このまま部屋で朝までまつなど苦行でしかない。紗奈はすぐに内通路にでると、エレベーターでロビーへ下りた。

誰もいないロビーでやるべきことははっきりしている。郵便受けの扉が縦横に並ぶ区画へ足を運んだ。天井から見下ろす角度にドーム型防犯カメラがある。紗奈が向き合った郵便受けの扉は、自室用ではなかった。赤の他人の郵便受けだ。防犯カメラに背を向け、手もとが見えないようにする。不審な行動が記録されるのはたしかだが、このタワマンで事件でも起きないかぎり、録画映像がチェックされることはない。いずれ上書き消去される。

この種のダイヤル錠は、右回りに特定の番号を二回、左回りに別の番号を一回合わせると開く。紗奈の郵便受けもそうなっている。どの番号かはもちろん各部屋ちがうが、容易に開ける方法を、紗奈は身につけていた。死人になって法を無視する日々を送るうち、よからぬ知恵や知識ばかりが育った。

つまんだダイヤルを手前に強く引き、右に二回、ゆっくりと回す。引っぱった状態で二回転すると、すべての番号を二度通過したにすぎなくても、メカニズムは当該の番号で止めたのと同じ反応をしめす。そこから左へ、ひとつずつ番号をずらしては扉を引いてみる。一周以内に正解の番号に該当し解錠される。郵便受けはすんなり開いた。

さっき中年男性が収めたアルミ製容器をとりだす。蓋《ふた》を開けると予想どおり、クルマのスマートキーが入っていた。

スマートキーを部屋の鍵《かぎ》と一緒にしていない住人は、しばしば自室に置き忘れたまま、駐車場まで下りてしまう。またエレベーターでひきかえす羽目になる。そのため郵便受けにスマートキーを隠しておく住人も少なくない。アルミ製容器はリレーアタック対策だと見当がついた。CANインベーダーによる車両盗難は防げないが、少なくとも建物の外からは、郵便受け内のアルミ製容器は取りだせない。

紗奈はスマートキーを手にエントランスをでた。小雨がぱらつきだしている。駐車場をうろつきながら、ドアロック解除のボタンを押す。ハザードランプが点滅したのはホンダのオデッセイだった。

千鶴の命がかかっている。一時的にクルマを拝借させてもらう。陽が昇るまでには元に戻す。

十七歳の紗奈だが、泉稜楓名義の運転免許証では十九歳だ。あらためて教習所にも通った。オデッセイに乗りこんだ紗奈は、エンジンをかけると難なく発進させた。

片手間にスマホのナビを操作し、目的地を中区新山下のヨコハマベイクラブに設定する。距離にして二十キロほどある。高速道路はETCに履歴が残るため避ける。下の道でもこの時間は空《す》いていた。オデッセイはスムーズに走りつづけた。

雨が本降りになってきた。ワイパーを動かす。タワマンの駐車場が屋外で幸いだった。屋根付きなら降雨の痕《あと》により、夜中に乗りだしたことがバレてしまう。

カーラジオをオンにする。ニュースがあれば報じられる。いまはどの局も音楽を流していた。それでも緊張は解けない。この胸のざわつきはなんだろう。

　ずっと港湾近くの道路を走りつづける。辺りは工業地帯で民家は見かけない。徐々に工場棟や倉庫の規模が大きくなり、空き地も多く目にするようになった。横浜みなとみらいは景観地だが、この時間には観覧車も消灯している。そこを通過するとまたうら寂しい眺めになる。雑草地帯にぽつぽつと大型倉庫が点在するのみになった。

　ナビによれば目的地に近づいた。ヨコハマベイクラブはそんな人里離れた場所にあった。大音量の音楽が漏れきこえても、地域住民の苦情が生じない環境といえば、この辺りこそ適しているのかもしれない。中区新山下には住宅街もあるが、ここは人口密集地から離れている。海に近いといっても砂浜はなく、ホテルの類《たぐ》いも存在しない。

　降りしきる雨とともに霧が発生していた。闇のなかに赤い点滅が浮かびあがった。その数がどんどん増えていく。紗奈ははっとした。アクセルを踏みこみ加速する。いま車道上にほかのクルマの通行はない。しかし行く手には赤色灯が無数に波打っている。

　あるていど接近したところでブレーキを踏んだ。紗奈は凍りついた。

　広い駐車場の真んなかに建つ、倉庫然とした建物がヨコハマベイクラブにちがいない。周りをパトカーの群れが埋めつくしている。大勢の制服警官が駆けまわっているのがわかる。

この道をあと三百メートルも進めば、行く手に警察の検問が設けられている。まっすぐ走っていこうとも、ただそこにひっかかるだけだ。紗奈はステアリングを大きく切りつつアクセルを踏んだ。クルマを急速にUターンさせ、来た道を全速力で駆け戻る。

脈拍が異常なほど亢進《こうしん》していく。紗奈はカーラジオのチャンネルをせわしなく切り替えた。まだどの局もニュースを伝えない。あれだけ多くのパトカーが集結する事態が、ただごとのはずがなかった。けれども警官がひしめきあう現場には足を踏みいれられない。情報に耳を傾けるしかない。

運転しながらスマホもチェックした。ネットニュースにもめぼしい記事はあがっていない。SNSもこの時間には利用者自体が少ないらしく、さっきの異様な状況はまだ伝えられていない。あるいはパトカーが急行してから、さほど時間が経過していないとも考えられる。

時刻は午前四時十七分。もうすぐ世のなかは動きだす。ほどなく情報も拡散される。どこにいようと事実が伝達されてくる。悪い予感が当たらないのを祈るのみだった。

タワマンに戻ると、オデッセイを駐車場の元の位置に滑りこませた。土砂降りの雨のなかを突っ切り、ロビーへ駆けこんだ。スマートキーをアルミ製容器に戻しておく。エレベーターで高層階へ昇った。

自室に飛びこむや靴を脱ぎ捨て、リビングルームのテレビを点《つ》けた。午前四時四十二分。民放のいくつかの局では、もう朝のニュースが始まっていた。ただし内容は昨夜のニュースの繰りかえしだった。紗奈は部屋のなかをうろついた。ソファに腰かける気分にさえならない。スポーツと芸能情報が恨めしくなる。チャンネルを替えても、ほかの局も似たような内容を伝えていた。

そのうち午前五時になった。NHKでも朝のニュースが始まった。政局より先に事件の報道があった。見だしには〝東京・神奈川で若い女性の遺体発見相次ぐ〟と表示されている。

キャスターの落ち着いた声が告げた。「きょう未明、東京都江東《こうとう》区新木場《しんきば》と横浜市中区新山下で、若い女性の遺体の発見が相次ぎました。警察によれば、いずれも死亡後ほとんど時間が経過しておらず、事件に巻きこまれた可能性があるとみて捜査しているとのことです」

夜の埠頭《ふとう》を空撮でとらえた映像だった。テロップには〝死亡　千葉県浦安市在住高城依茉さん（17）〟とある。キャスターによれば、硬い棒状の物で頭を複数回殴られたのち、海に投げこまれたとみられるという。東京港湾事務所から、不審なクルマが埠頭に侵入したとの通報を受け、パトカーが急行。その場から走り去るクルマを目撃したが、車種やナンバーは判然としないらしい。その直後、岸壁近くの海上に浮いている、若い女性の遺体が発見された。

高城依茉という名を紗奈は知らなかった。千鶴と一緒に映っていた女はミヅキ。それが本名なら、この被害者とは別人だろう。いったいなにが起きたのか。中区新山下の事件とは関連があるのか。

画面が切り替わった。紗奈は鳥肌が立つ思いだった。さっき目にしたばかりの光景がテレビに映しだされた。ヨコハマベイクラブの駐車場に無数のパトカーが密集している。波打つ赤色灯がハレーションを起こしていた。

キャスターの声がいった。「横浜市中区新山下のライブハウス駐車場では、放置されたドラム缶が燃えているのを、パトロール中の警察官が発見。なかから身元不明の女性の焼死体が見つかりました。女性は十五歳から二十五歳ぐらい、破れた衣服のほか、遺留品らしき物が周辺から見つかっており……」

淡々と告げる言葉とともに画面がまた切り替わる。テロップには〝死亡した女性の所持品とみられる物〟とある。その静止画をまのあたりにしたとき、紗奈は思わずうわずった声を発した。

静止画は白い厚紙の上に置かれたアイテムだった。パールビーズのブレスレット。あまりにも目に馴染《なじ》みすぎている。紗奈がこの手で作った。それ以外の可能性は皆無だった。

ゴムが伸びきり、かなり緩んでいたと思われる。千鶴の手首から抜け落ちたのだろう。ならドラム缶の焼死体は……。

「嘘」紗奈はつぶやいた。行き場のない感情のせいで、子供のように胸が詰まり、視界が涙に揺らぎだす。ふらつき後ずさったものの、ソファの位置がわからず、紗奈は床に尻餅《しりもち》をついた。

ぼやけて画面が見えない。キャスターの声がいった。「警察では遺体のDNA鑑定を進めるとともに、遺留品について広く情報を求めたいとしています」

紗奈は虚《むな》しく首を横に振っていた。ありえない。もし警察が千鶴のDNA型だったと発表しても、けっして信じない。紗奈自身もかつての死は誤報だったではないか。

密閉状態で八百度以上の炎に焼かれれば骨も遺《のこ》らない。DNA型の検出も不可能になる。紗奈も状況証拠から死亡ときめつけられただけだ。しかも警察は不受理を避けるため、失踪《しっそう》宣告ではなく死亡届の提出に踏みきった。死亡届には医師による死体検案書の添付が必要になる。厳密には遺体そのものが紗奈だと断定できなかったが、逗《ず》子《し》署は立件を急いだ。紗奈のDNA型の検出元が遺留品ではなく、遺体だったかのように記載した。被害者は紗奈にちがいないと、関係者全員が百パーセント信じていたからだ。

一部マスコミが疑問を呈した。八百度以上の火力で燃やされたのに、本当に遺体からDNA型は検出できたのか。事実とちがえば虚偽診断書等作成罪の疑いもある。だが警察はきっぱりと押し通した。司法も冷静ではない。誰もが一刻も早く悲劇を証明したがっていた。死亡の確定について追い風が吹いた。みな微妙に事実を曲げた死体検案書を、悪いこととは思わず、むしろ正義と考えていた。

検察が容疑者を犯人ときめつけ、取り調べの過程でなにがあっても譲らないのと似ている。そんなことはありえないと専門家がいおうが、現に集団が理性を欠く事態が起こりうる。

今度もきっと同じだ。紗奈は心のなかで叫びつづけた。きっと同じだ……。

ニュースはもう次の話題に移っていた。紗奈はその場にうずくまった。額を床にこすりつける。怒号のような慟哭《どうこく》をみずから耳にした。泣きわめいてもどうにもできない。なにも変わりはしない。耐えがたい感情に押し潰《つぶ》されそうになる。自分の悲鳴や絶叫に似た泣き声をきいた。酷《ひど》すぎる。どうして千鶴がこんな目に遭わなければならない。地獄から逃げてきたのに。希望の日々まであと少しだったのに。

12

窓からの陽射しが壁を明るく染めては、やがて赤みを帯びていき、そのうち斜陽も消え失《う》せ、また暗がりに戻る。そんな室内のようすを、紗奈は連日のように眺めていた。

身体を鍛えもせず、床に脚を投げだしたまま、ただ時間が過ぎていくのにまかせる。眠くなってもベッドには入らない。空腹は特に感じなかったが、体力を維持するため、ときどきは食べねばならない。冷蔵庫のなかは空っぽだった。夜中に起きだしコンビニへ行き、パンと飲み物だけを買って帰る。ここは遠藤恵令奈の部屋だ。出入りしても誰にも咎《とが》められない。

けれども本当は千鶴の住まいだった。ソファも机も自分の物に思えない。使う気になれない。ベッドにも横たわれない。だから居場所は床になる。背を壁にもたせかけ、かろうじて上半身を起こしているにすぎなかった。眠くなればそのままうたた寝をする。また目が覚めても、なにもすることはない。

ぼんやり過ごしていると、時間は恐ろしいほど速く経つ。一日があっという間に終わり、翌日もそれが繰りかえされる。三日ぐらいはスマホを絶えずいじっていた。続報が気になった。とはいえ詳しく検索するには至らない。そんな気力も持てない。

一週間近くになるだろうか。ようやくネットニュースがまた事件に触れた。焼死体の身元は未確認のままだった。ドラム缶に蓋《ふた》をされ、八百度以上の熱で燃やされた以上、DNA型の検出は不可能になる。歯型や骨も照会できる状況ではなかったようだ。

それでももうわかっている。千鶴は死んだ。焼死体は千鶴以外にありえない。千鶴の親は新潟にいる。娘の家出に際し行方不明者届をださず、いまも千鶴かもしれない遺体について報道があっても、名乗りでた気配はない。

父親のDVに耐えかね、家を飛びだした千鶴は、捜索もされず見捨てられた。反社の手により冨米野島に売り飛ばされたが、島内で地獄を見ることはなかった。ともに生還した千鶴が将来を取り戻せるよう、紗奈は尽力してきた。そのつもりだった。

だがそっくりの顔の千鶴を、アリバイ工作に利用したのは紗奈だ。千鶴は外の世界にでたがっていた。彼女が復帰するのを先送りにしてきたのは、ただ紗奈の都合だったのではないのか。孤立を深める千鶴が精神を病んでいった。紗奈の責任だ。千鶴を共犯に仕立てた。その重荷のせいで千鶴の心は蝕《むしば》まれてしまった。絶対に疑われないよう周到に根回しした。二年経てば自由になれる。そういきかせようとも、千鶴には耐えられなかった。それが現実だ。千鶴を追い詰めたのは紗奈だ。

紗奈は両手で頭を掻《か》きむしった。涙でテレビの光がぼやけて仕方がない。へたりこんだ姿勢のまま、地団駄を踏むように両足で床を打ち鳴らした。この数日間、ときおり発作のように同じことを繰りかえす。あきれるほど幼稚で頼りない。わかっていても自分は変えられない。

皮肉な状況だった。千鶴はいなくなり、紗奈がこの部屋にいる。鼻や顎《あご》のシリコン製人工軟骨《プロテーゼ》や、注射したヒアルロン酸は燃え尽きる。千鶴が整形していた事実は闇に葬られた。

警察に記録されている遠藤恵令奈の指紋やＤＮＡ型は、いずれも千鶴のものだったが、焼死体からは検出されなかった。千鶴の存在自体が完全に抹消された。ＥＥこと江崎瑛里華はまたひとりになった。紗奈は遠藤恵令奈に戻った。本来なら渋谷《しぶや》１０９《イチマルキュー》事件で逮捕されているはずが、千鶴を利用し生き長らえた。千鶴は紗奈のため犠牲になった。

ふと壁の時計が目に入った。夜光塗料の針が暗がりにぼんやりと浮かぶ。午後六時半。冬場はすっかり陽が落ちている。

紗奈はゆっくりと起きだした。ふらつきながら部屋の隅に向かい、リュックを拾いあげた。なかからノートパソコンを取りだす。

ひさしぶりにソファに座った。ふたつ折りのノートパソコンを開き、電源をいれる。ここのワイファイにはつながる設定にしてあった。

ユーチューブ動画をすべて削除したい。チャンネルを閉じたかった。もともと収入は過剰だった。ほとんどは千鶴の将来のためだったが、もう踊る気になれない。得意げにダンスの技をひけらかすのが、背徳の愚行でしかないと思えてくる。いままでの動画を閲覧可にしておきたくない。

最後にアップした動画のページを開く。管理画面へ移ろうとしたが、なんとなくコメント欄が気になり、表示を下方へスクロールさせた。

おびただしい数のコメントが連なっている。ここ数日、なぜ更新が滞っているのかを問いかける視聴者が多かった。チャンネルを閉じるにあたり、一文でも断りを残すべきだろうか。いや、どうせ面識もない人々だ。ＥＥがいなくなればほかに興味が向く。ただそれだけにちがいない。

手が自然にとまった。ひとつのコメントから目を離せなくなった。

@ringo2817　4日前

娘はいつもあなたの動画に夢中になっていました。深く感謝申し上げます。

神経が疼《うず》くように昂《たか》ぶる。しばらく忘れていた感覚だと紗奈は思った。

このringo2817というハンドルネームは、紗奈が動画をあげるたび、いつもコメントをくれていた。文面から察するにたぶん女性で、ダンスを熱心に練習している人物像がうかがえた。〝きょう会えるのを楽しみにしてます〟ともあったが、深くは考えなかった。ネット上のコメントは真偽もわからない。

今回のコメントは印象が異なる。ネットの慣例として句点を省くのが、これまでのringo2817の文章だった。このコメントには句点がある。〝娘は〟とあるからには、本人に代わり親が書いたのか。なにより〝夢中になっていました〟と過去形だった。

心中穏やかではいられない。娘を失った親の代筆に思える。コメントに返信するべきだろうか。ユーチューブのコメント欄にDMの機能はない。ringo2817にだけ私信を送るのは不可能だった。

にわかに世間の動きが気になりだした。リアルタイム検索でEEや江崎瑛里華について調べてみる。

イルデフォンソでバーテンダーに暴力を振るったことは、まったく話題になっていない。未成年の飲酒に関わっていたのを追及されたくないか、アキオが他言無用と釘《くぎ》を刺したのかもしれない。一方、EEがヨコハマベイクラブに入るのを見かけた、いるのを目撃したというコメントは散見される。

〝マジかよ　焼死体が見つかった日じゃね？〟〝まさか犠牲になったのってEEさん？〟〝そういや動画も更新されてねえし〟

思わずため息が漏れる。こんなふうに解釈されるのか。さほど大きく拡散してはいない情報だが、警察やマスコミの目にはとまるかもしれない。

インターホンが鳴った。もやっとした気分になる。ソファから立ちあがり、キッチンの壁にある親機のボタンを押した。

映っているのは一階のエントランスだった。見知らぬスーツふたりがカメラをのぞきこんでいる。眼鏡をかけた中年男性がいった。「川崎署の者です。遠藤恵令奈さんはご在宅でしょうか」

虫の知らせが的中した。紗奈は仕方なく応じた。「ロビーにいてください」

オートロックの解錠ボタンを押し、エントランスの自動ドアを開ける。紗奈はダウンジャケットを羽織り、玄関で靴を履いた。

タワマンの利点のひとつは、来訪者を部屋に迎えなくて済む点にある。ロビーの片隅には、三人掛けのソファが向かい合わせに据えられている。紗奈がエレベーターで下りていくと、予想どおりスーツふたりが、電気スタンドに照らされたソファにおさまっていた。どちらも紗奈を見るなり腰を浮かせた。

知らない顔だったが、どこかほっとしたような、がっかりしたような表情を浮かべている。遠藤恵令奈の無事を確認した刑事の反応。躍起な態度が見えないのは、管轄外の事件だからだろう。

眼鏡をかけた中年は櫻木《さくらぎ》、それより若い面長が佐竹《さたけ》と名乗った。ふたりが差しだした身分証を、紗奈は興味なげに一瞥《いちべつ》したが、じつは真贋《しんがん》をしっかり見極めていた。いままで何度となく提示され、本物の特徴は目に焼きついている。

縦にふたつ折りのパスケースで、金のエンブレムに神奈川県警察の刻印。パスケース自体は真っ黒ではなく濃い褐色。身分証はプラスチックカードでホログラムいり。櫻木は巡査部長で佐竹は巡査だった。職員番号の法則性にも矛盾はない。顔写真の制服姿は胸の階級章に識別章が付いていない。ふたりとも本物だとわかる。

櫻木という刑事は単刀直入に、ヨコハマベイクラブというライブハウスへ行ったことがありますかときいてきた。焼死体が見つかった前夜、ユーチューバーのEEを見かけたというネット上の書きこみがあった、そこまで正直に明かした。

紗奈が容疑者扱いを受けていれば、こんな遠慮がちな問いかけはありえない。警察が訪ねてきた根拠はネットの噂のみだ。加賀町《かがちょう》署から要請があり、江崎瑛里華こと遠藤恵令奈の安否確認にきただけだろう。

ふたしかな情報をもとに捜査しているのは、ヨコハマベイクラブに防犯カメラがなかったか、当日の録画データがないといわれたかのどちらかだ。理由はふだんから反社の出入りが常態化しているか、もしくは従業員が犯人を知っていて庇《かば》っているかのいずれかになる。

警察にもそれぐらいの見当はついているのだろう。櫻木が軽い口調でいった。「ヨコハマベイクラブってのは違法薬物取引なんかで、しょっちゅうガサを受けてましてね」

紗奈は真顔でとぼけてみせた。「ガサ？」

「……ああ、家宅捜索。裁判所の許可を得て店内を調べるってことです。きなくさい店でしてね。ほとんどのお客さんはぶらりと立ち寄ったにすぎないでしょうが、いちおう全員に事情をきかなきゃならないぐらいの店でもあって」

あえて否定せずにようすをうかがう。紗奈はあっさりと応じた。「行きました」

ふたりが目を丸くした。佐竹が問いただしてきた。「行った？　ヨコハマベイクラブへですか？」

「はい。でもなにごともなく帰りました」

「どなたと一緒に行かれたんですか」

「ひとりで」

「グループと行動してたようだとネットにあるんですが」

「声をかけられて話ぐらいはしました。相手が誰だったかはおぼえてません」

「なるほど。そうですか」

警察はまだ犯人あるいは犯人グループを特定できていない。焼死した被害者が誰なのかもわからずにいる。刑事たちの質問の緩さから、そんな事情がうかがえる。そこまで当日の状況がはっきりしないのは、従業員への事情聴取において、なにもつかめなかったからだろう。だが従業員がひとり残らず、不審な客についていっさい証言しないのはおかしい。やはり訳知りの従業員が真相を隠そうとしているのか。

佐竹が写真を取りだした。「この人に見覚えありませんか」

十代半ばの少女だった。面識はない。ボブの髪型に縁取られた小顔に微笑が浮かんでいる。目もとがやさしかった。ブレザーとネクタイは高校の制服にちがいない。

「さあ」と紗奈は答えた。

「高城依茉さん、十七歳。千葉県浦安市にご両親と暮らしてました。ヨコハマベイクラブで焼死体が見つかったのと同じころ、新木場の埠頭《ふとう》で死んでいるのが確認されまして」

これが高城依茉か。ニュースでは氏名だけで顔写真は公表されなかった。素朴な印象がある。夜遊びとは無縁の真面目な少女に思えた。

櫻木が身を乗りだした。「従業員らはよく知らないの一点張りですが、当日の客のふたりか三人によれば、この女の子が店にいたというんです。もっとも、誰と一緒にいたか、飲酒をしていたかなど、詳細はやはり不明で」

口ぶりからすると警察は店への不信感を募らせているらしい。そちらでやりあえばいい、紗奈はそう思った。「お役に立てることはありません」

「……そうですか」櫻木がため息とともに立ちあがった。「どうもお邪魔しました、遠藤さん」

「いえ……」紗奈は座ったままだった。

腰を浮かせた佐竹が淡々と告げてきた。「渋谷109事件のときにもご迷惑をおかけしてしまい恐縮です」

鎌《かま》をかけている。警察が遠藤恵令奈に事情をきくのはこれで二度目だと、さりげなく示唆してくる。紗奈はいっこうに動じなかった。もし焼死体発見現場周辺で、千鶴のDNA型が検出されていれば、もっとおおごとになっている。警察にしてみれば、遠藤恵令奈のDNA型が残っていたのに、当の本人がなにごともなくタワマンにいるからだ。しかし刑事らの態度をみるかぎり、駐車場の血液や汗は採取する前に、あの夜の雨に流されてしまったのだろう。

紗奈はつぶやいた。「物騒な世のなかですよね」

「ええ」櫻木が難しい顔で会釈をした。「では失礼します」

ふたりの靴音がエントランスへ遠ざかっていく。紗奈はただ虚空を見つめていた。

高城依茉もヨコハマベイクラブにいた。〝きょう会えるのを楽しみにしてます〟とコメントしたとおり、千鶴と会ったのか。そこから新木場に移り、死体となって発見された。だが警察に調べてもらえるだけでも幸いかもしれない。千鶴の存在は気にも留められていない。DNA型が発見されればよかった。紗奈は追い詰められるが、千鶴は浮かばれる。この世に生きた証《あかし》が少しは遺《のこ》る。

13

ヨコハマベイクラブが営業を再開した初日、昼下がりのランチ客により、席が半分ほど埋まっていた。日中はふつうのカフェレストランになるらしい。ダンスフロアとおぼしき一帯にもテーブルが並んでいる。ＤＪブースは無人だった。

従業員は男性が八割のようだ。三十代後半から四十歳ぐらいの男が店長だとわかる。女性客が店長と呼んだからだ。しかし経営者ではなく雇われ然とした態度をしめしつつ、店長はのらりくらりと逃げまわる。

追いかける女性客は四十代半ばに見える。痩身《そうしん》をロングコートに包んでいるが、髪はぼさぼさで、メイクも崩れかけている。必死に店長を追いまわしては話しかけようとする。店長はテーブルをまわりながら、ときおり足をとめざるをえないが、女性に対しては無視をきめこんでいた。

しかし女性が厨房《ちゅうぼう》の入口まで追いかけてこようとするに至り、店長はしかめっ面で振りかえった。「いい加減にしてくれませんか」

近くのテーブルは若いカップル客が多かった。騒動にはとっくに気づいていたらしく、みな店長と女性を眺め、くすくすと笑っている。

　女性はそんな周りのようすも意に介さず、切実に声を張った。「お願いですから当日のことを……」

　店長の声量も増してきた。「知らないといってるでしょう」

「だけどお客さんが何人か、うちの子を見かけたようだと、警察に話したとか」

「なら警察に詳細をきいてください」

「行ってきたんですよ。でも捜査中だからとおっしゃって、なにも教えてくださらなくて」

「私たちにもわかるわけありません」

「そんなことないでしょう。こちらの駐車場内で……」

「やめてください！」店長がぴしゃりといった。「あの事件とあなたは関係ないんですよね？　営業中ですよ。余計なことをおっしゃらないでください」

「でもうちの子も同じ日に……。新木場へ行く前に、ここにいたって……」

　店長は近くの従業員を手招きした。「来てくれ。このおばさんを外にだせ」

　男性従業員のひとりが歩み寄った。店長は厨房に消えようとしたが、女性が行く手にまわりこみ、なおも懇願しつづける。店長は業を煮やしたようすで、女性の腕をつかみ、わきにどかそうとした。その行動はかなり乱暴だったが、女性は店長の服にしがみつき、いっそう声高に説得しつづける。あまりの必死さに、せせら笑っていた客たちも、一様に表情をこわばらせている。女性と店長は揉《も》み合いになり、ほかの従業員が大勢押し寄せ、騒動を鎮めようと躍起になった。女性の声はほとんど嗚咽《おえつ》に近くなり、混乱はいっそう拡大しだした。

紗奈は壁ぎわの席で一部始終を目撃していた。コーヒー一杯だけを頼み、あとはおとなしくしていようと思ったが、もう見過ごせない。

立ちあがり足ばやに騒動の渦中へと向かう。群れをなす従業員らを掻《か》き分ける。人垣のなかで小競り合いはより深刻なレベルに達していた。ふたりはつかみ合いの末、店長が女性を突き飛ばした。ふらつき、後方に転倒しそうになった女性を、紗奈は背後から抱きとめた。

女性が紗奈を振りかえった。申しわけなさそうな顔で謝罪を口にしかける。だが紗奈を見つめる目に驚きのいろがひろがった。女性はうわずった声を発した。「あ、あなたは……」

紗奈は冨米野島の地獄を経験して以来、多人数のなかのひとりに、けっして注意を奪われたりしなかった。いまも視野に映る範囲内の全員を警戒しつづける。けれどもただちに暴力にうったえるような動きはない。店長がぼうっとした顔をこちらに向けていた。

この男はなにも知らない可能性がある、紗奈は直感的にそう思った。事件当夜の勤務ではなかったのだろう。きょうの営業再開にあたり、雇われ店長の交代は充分にありうる。ほかの従業員らも啞然《あぜん》とするか、呆気《あっけ》にとられる顔ばかりだった。

だが二十代前半ぐらいの男性従業員がひとりだけ、女性以上に愕然《がくぜん》とした面持ちで、紗奈をまじまじと凝視している。まるで幽霊でもまのあたりにしたかのようだ。いや、実際にそんな恐怖を味わっているがゆえの反応にちがいない。

目が合うと青年は後ずさった。携えていたトレーを落とし、けたたましい音が鳴り響く。店長以下全員が青年を振りかえった。くだんの青年はあわてたように身を翻し、厨房のなかへ逃走していった。

紗奈は青年を追うべく人混みのなかをぐいぐいと突き進んだ。店長もほかの従業員らも、あくまで立ち塞《ふさ》がるような真似はしでかさない。紗奈は気迫で道を開けさせた。厨房に足を踏みいれるや、自然に歩が速まった。逃げようとする青年を目にしたからだ。

青年は慌てふためき、周りで働く調理服を次々と突き飛ばし、料理をひっくりかえしながら逃げだした。野菜や唐揚げがぶちまけられる。沸騰する鍋《なべ》が傾き、引火したコンロから炎が噴きあがる。塩や砂糖が粉塵《ふんじん》のように舞う。人の迷惑も顧みず、青年は逃走経路に大混乱を巻き起こす。調理服が右往左往するため、紗奈はなかなか距離を詰められない。

そのうち青年が厨房の最深部、勝手口のドアに達した。泡を食った青年の手がドアノブにかかる。いまにも外へ逃げおおせようとしている。

紗奈は肉切り包丁をつかみ、縦回転を加えつつぶん投げた。空気を切り裂きながら飛んだ刃《やいば》が、ドアノブ付近に深々と突き刺さる。青年がぎょっとしながらのけぞった。ノブはひねったものの、包丁がつっかえてドアを押し開けられずにいる。

つかつかと歩み寄った紗奈は、青年の胸倉をつかみあげ、ガスコンロに向き直った。四口あるうちの一口、点火していないバーナーに、紗奈は青年の片頰を押しつけた。上から強く圧迫する。

青年が両手両足をばたつかせた。「やめてくれ！　助けてくれ！」

「なにかいうことある？」

「あ……あんた生きてたのかよ!?」

状況を大きく進展させるひとことだった。やはりこの慌てぶりは、千鶴が殺されたのを知っているからか。紗奈はきいた。「なにを見た?」

沈黙があった。青年はうろたえた呻《うめ》き声しか漏らさなくなった。

紗奈はコンロの側面にあるレバーを押し下げた。青年が頬を押しつけられたバーナーの隣で、激しい炎が噴きあがった。青年は動揺し暴れたが、紗奈は手を放さなかった。

「な」青年がわめいた。「なにも見てない!」

「って警察にいったのはいいとして、いまはほんとのことを喋《しゃべ》ってよ」

「俺は関係ねえ」青年は涙声になっていた。「なにもしてねえよぉ。勘弁してくれ。成仏してくれよ」

「あなたの態度いかんによる」

「だから俺はなにも……。遅番で店閉めなきゃいけなかったから、最後まで居残ってたんだよ。そしたら十人ぐれえのグループがいつまでもテーブルでだらけてて、ちっとも帰りゃしねえ。そんなかにあんたがいて」

「それからどうなった? 黙ってるよう賄賂《わいろ》を受けとったとか?」

「んなもん受けとっちゃいねえよ! でもなにが起きようと知らぬ存ぜぬを通すのが、ここでの規則だからさ。やばそうなことにも目をつぶって、警察には喋らずにおくんだよ。でなきゃこんな僻地《へきち》、客がいなくなっちまう」

「グループと面識はあった？」

「ねえよ！　前にも何度か来たことはある奴らだ。見た目はラッパー崩れで、もう音楽なんかやっちゃいねえってのが、うちの客層だからよ。そのなかでもやばいほうに属する手合いだ。関わりたかねえ」

「その人たちがなにをした？」

「見ちゃいねえんだって！　ただあんたを……あんたなのか、それともあんたに似た誰かだったのか、とにかくとても怯《おび》えてる子を外に連れだして、駐車場の端へ向かった。そっちにそいつらのクルマが停まってたみたいでよ」

「燃えたドラム缶があったほう？」

「そう。同じ方角だ」

紗奈はなおも青年の頰をガスコンロに押しつけながら、ため息まじりに顔をあげた。振りかえると厨房《ちゅうぼう》には大勢が詰めかけていた。店長や従業員が唖然としながら見守っている。そのなかにさっきの女性も立っていた。紗奈は女性に目でうながした。

はっとした女性が駆け寄ってきて、スマホを青年に向けた。画面には十代の少女の静止画が映っていた。紗奈が刑事たちに見せられた写真と同じ、高城依茉の顔がそこにあった。

女性が悲痛な面持ちできいた。「この子を知らない？」

やはりと紗奈は思った。女性は高城依茉の母親だった。さっき紗奈を見て驚いた顔がすべてを物語る。ringo2817は依茉のハンドルネーム。最後のコメントはこの母親が書いたのだろう。

青年は泣きじゃくりながらうなずいた。「知ってるよ。その子も一緒にいた。やっぱり怯えてた。なんなのか気になったけど、酔っ払いに絡まれたくなんかねえし、見ざる聞かざる言わざるがモットーの店だからよ。さっさと退散しちまった」

紗奈は青年に問いかけた。「ドラム缶に火がついたのは……」

「見てねえ！　神様に誓う。……なあ、あんた。お化けじゃないよな？　双子の妹なのか？　姉なのかよ」

答える必要はない。紗奈はもう青年に注意を向けてはいなかった。依茉の母親が両手を震わせ、スマホを床に落とした。いまにも泣き崩れそうだった。紗奈はガスコンロに押しつけた青年を引っぱりあげ、壁ぎわに放りだすと、ただちに女性を支えた。

女性は紗奈に抱きつき、声をあげ泣いた。

ひとつの記憶が重なる。女性は紗奈の母ともほぼ同世代だった。永遠の別離になった夜、母もこんなふうに泣いていた。

女性をそっと近くの椅子に誘導し座らせる。まっててください、紗奈はそういうと、店長に歩み寄った。

すくみあがる店長に対し、紗奈はダウンジャケットのポケットから、百万円の札束を取りだした。それを店長に手渡す。店長は眼球が飛びだすほど目を剝《む》いていた。

紗奈はささやいた。「この店のモットーは……」

「も、もちろん心得ております！　三匹の猿を全従業員に徹底させてます。さあみんな、持ち場に戻れ！　仕事だ仕事。なんにもいうな。なにも見てないし聞いてない！　わかったな」

戸惑い顔の従業員らが厨房から追い払われていく。紗奈は女性のもとへ戻り、静かに手を差し伸べた。「でましょう。話をきかせてください」

依茉の母親は茫然《ぼうぜん》と紗奈の手をとった。目を真っ赤に泣き腫《は》らした、やつれきった顔が亡き母を思い起こさせる。心を強く持たねばならない、紗奈は自分にそういいきかせた。なにもできなかったせいで母は死んだ。千鶴も依茉もだ。もうこれ以上の哀しみはいらない。

14

依茉の母親は高城由嘉里《ゆかり》といった。紗奈は由嘉里を連れ、ヨコハマベイクラブをでると、路線バスでひと区間だけ移動した。

うら寂しい倉庫と空き地ばかりの一帯から、海沿いの美観地区に風景が様変わりする。山下公園でバスを降りた。周りは観光客しかいないため、かえって人の関心を引かずに済む。陽射しが無数の光に弾《はじ》ける波の向こうに、横浜みなとみらいから赤レンガ倉庫、ベイブリッジまでが眺められる。

海に面したベンチにふたり並んで座った。ヨコハマベイクラブから遠ざかったことで、由嘉里が落ち着きを取り戻したように見える。紗奈もあんな場所にいたのでは、平常心を失ってしまいそうだった。人体が燃えるにおいなら脳裏に刻みこまれている。もうほのかなにおいすら残るはずもないが、あの店の駐車場に立ったとき、なぜか濃厚に立ちこめているように感じた。とても耐えられなかった。

由嘉里が静かにささやいた。「依茉は高校受験を前に、急にK－POPへの憧《あこが》れを募らせましてね。合格したらダンススクールに通いたいといいだしたんです。プロになるのを夢見たりはしなかったようですけど、習いだしたらとても真剣で」

紗奈はきいた。「都内のダンススクールですか」

「ええ。浦安はどこも受講生がいっぱいで、募集が締め切られてたんです」

「通っていたダンススクールはガラが悪かったんでしょうか」

「……そうかもしれません」由嘉里の表情が曇った。「スクールの案内に、すでにそういうファッションの子が多く載ってましたから。依茉は、ラッパーはそんな格好をするのがふつうだと笑ってましたけど、通いだしてからは、やっぱり乱暴な子がいるって」

「男ですか」

「はい。女の子はわりと、ふつうのダンス好きが多かったらしいんです。でも依茉は人見知りなところがあったので、まだ仲良くなった子はいなかったと思います。ただ……」

「なんですか」

「乱暴で嫌いといってた子に、強引にラインのアカウントをきかれたらしくて、しょっちゅう連絡があるといってました」

「迷惑がっていましたか」

「そうなんですけど、あの歳ごろの子はふしぎというか、気分しだいで友達からの連絡のように浮かれたり……。学校のクラスメイトと同じで、それなりにつきあっていかなきゃならない以上、やりとりを毛嫌いしてても始まらないと思ったのかもしれません」

「あー。依茉さんはたしか高二でしたね。よくある話です」

「EEさん……江崎瑛里華さんでしたっけ。瑛里華さんはおいくつなんですか」

「十九です」本当は依茉と同い年だが、紗奈は遠藤恵令奈の年齢を口にした。泉稜楓も十九歳だ。すっかりこの年齢に馴染《なじ》んでいた。

海を眺める由嘉里が目を細めた。「そう。依茉よりふたつ上なんですね。若く見える。同学年ぐらいに」

由嘉里の横顔には感慨深げな表情が浮かんでいる。娘の成長を思い起こしているようだ。紗奈の母もときおりこんな面持ちになった。目尻《めじり》に寄る皺《しわ》の数は、母と同じぐらいに思えた。娘との心の交流や、それにともなう悩みも、母と共通していたかもしれない。

とはいえ紗奈は自分の母と由嘉里を同一視しなかった。人それぞれ重ならない生き方がある。由嘉里の愛情は依茉にだけ向けられている。他人の事情にまでは想像が及ばない。紗奈が母を失ったことは、あくまで紗奈の問題だ。憐憫《れんびん》を求めてはならない。いまはただ千鶴を殺した犯人を知りたい。紗奈はつぶやいた。「ringo2817さんからのコメントには驚かされました」

由嘉里がうつむいた。「依茉があなたのファンだったことは知ってました。前にも動画を観せてくれたので……。スマホは見つかってませんけど、パソコンでユーチューブを開いたら、コメントができるようになってました。ひとことお礼がいいたくて」

「ヨコハマベイクラブへ行かれたのは、わたしがいたという情報をネットで見つけたからですよね」

「そうです……。事件が起きた当夜にEEさんがおられたとか。〝きょう会えるのを楽しみにしてます〟とあったし、依茉もそこへ行ったんじゃないかと思ったんです。警察の人に詳しくきいたら、いた可能性は否定しきれないと……」

それをききだすとは、刑事を相手によほど粘ったにちがいない。紗奈はやんわりと警告した。「直接出向くのは無謀ですよ」

「どうしてもじっとしていられなかったんです。ただ、あんなに強く突っぱねられるとは思わなくて」

「あれはあきらかに反社の経営です。だからお金で口封じが可能ですが、素人が手をだすべきじゃありません」

「あなたはどういう……」由嘉里がじっと見つめてきた。「あの日、あの店内にいたんですか」

警察への答えとは異なり、紗奈は真実を告げた。「いいえ」

「そう。さっき店の人もいってたものね。あなたによく似た子がいたのかしら。その人が犠牲に……」

話題を変える潮時だった。紗奈は由嘉里を見かえした。「依茉さんが巻きこまれた事件について、あの店は警察への証言を控えましたが、犯行に関与してはいないと思います」

「なぜそういえるんですか」

「店内の薬物取引を容認して、客の動員につなげようとするていどの、志の低い経営方針です。それ以上の犯罪に加担するとは思えません」

由嘉里は海に向き直った。深刻な面持ちのなかに、紗奈に対する当惑に似た感情が垣間《かいま》見える。由嘉里がいった。「まるでそっちに詳しいようなことをおっしゃるんですね、江崎瑛里華さんは」

得体の知れないユーチューバーのダンサーだ。素性を怪しんでもふしぎではない。紗奈はただ黙っていた。

しかし由嘉里は、紗奈が傷ついたがゆえの沈黙、そんなふうに解釈したらしい。控えめな物言いで由嘉里が謝罪を口にした。「ごめんなさい……」

「いえ。あるていどは正しいです。前はそうじゃなかったんですけど、いまは……」

「なにかあったんですか」

また答えられるはずもない問いかけだった。紗奈はたずねかえした。「どこのダンススクールですか」

「江戸川《えどがわ》区にあるギャングスタラップXというところです。依茉はもっと都心寄りに行きたがったんですけど、わたしと夫が浦安からの往復に便利だからと、そこにきめさせてしまって」

「そのギャングスタラップXへ行きましたか」

「わたしですか？　もちろん入学の際に保護者として付き添いました。受付の事務をしてくれた人しか会ってませんけど、ごくふつうでした。教室や練習室もよくある感じで」

「ほかの生徒を見ましたか」

「いいえ。授業が始まるより早い時間にお邪魔して、次回以降は依茉がひとりで通うことになったので……」由嘉里はふと気づいたように問いかけてきた。「江崎瑛里華さんと会うという話を、依茉はほかの生徒からきいたんでしょうか。瑛里華さんのお知り合いがスクールに……？」

「いません。誰とも会う約束はしていません」そういいながら紗奈は、千鶴が川崎のイルデフォンソで撮った画像を思いだした。「テッキやミヅキという名に心あたりは？」

「さあ……。依茉の高校の友達にはいないかと。ダンススクールのほうはわかりません。生徒の名前までは教えてくれなかったので」

「そうですか」

沈黙が生じた。この季節の陽射しは脆《もろ》く、雲に遮られるとたちまち寒くなる。それに暗い。海原も灰いろに沈む。冷たい風に晒《さら》されたものの、ほどなく光が戻りだした。

由嘉里がつぶやくようにいった。「わたしと夫は、依茉にダンスをやめてほしかったんです。大学受験までは趣味を封印して、勉学に励んでくれないかと……。EEさんを恨んだりもしました。でも動画を拝見して、依茉が魅了されるのも無理はないなと」

「わたしに会う目的で、依茉さんがでかけたのだとしたら……。わたしのせいですよね」

「そんなことは思ってません。瑛里華さんがどんな人か、こうして会って、少しはわかった気がしますし……。不可解なことは多々ありますが、話せてよかったと思います」

また静寂が訪れた。紗奈は由嘉里の横顔が気になった。あきらめの感情というより、なにかを悟ったような表情に思えてならない。

紗奈はいった。「警察にまかせたほうが……」

「ええ。もちろんそうします」由嘉里がゆっくりと立ちあがった。「ありがとう、瑛里華さん。お会いできるなんて予想もしていませんでした。助けていただいたことにも感謝しかありません」

「わたしはなにも……」

胸のうちを探りあう微妙な空気は、最後まで払拭《ふっしょく》されなかった。紗奈にしてみれば本心を明かせない以上、やむをえないことでしかない。由嘉里のほうも同じていどに真意を隠している。もっとも、なにを考えているかは手にとるようにわかる。自分で事実を突きとめたいのだろう。

紗奈は由嘉里を見つめた。「どうかご無理をなさらずに」
由嘉里の視線はすでに落ちていた。うつむいたまま、うなずいたとも会釈したとも
わからない動きを残し、由嘉里は踵《きびす》をかえした。枯れ葉が舞うなかを立ち去っていく。
いちども振りかえることなく、寂しげな後ろ姿が雑踏のなかに消えていった。

15

高城由嘉里は今年四十四になる。旧姓は西宮《にしみや》といった。四つ年上の夫、高城誠治《せいじ》と結婚し、依茉が生まれた。浦安に買った戸建てのローンを払うため、しばらくは共働きをしていたが、由嘉里は体調を崩し仕事を辞めていた。誠治は社員数二十人ていどの会社で取締役を務めている。

小雨が降る夕方、会社を早退した誠治とともに、江戸川区南篠崎町《みなみしのざきまち》二丁目の幹線道路沿いを歩いた。

浦安によく似て、街並みにゆとりがあり、それぞれの敷地も大きい。低層のマンションや雑居ビルが点在するが、どれも都心にくらべれば面積が広いとわかる。カーキいろの五階建てビルの三階と四階が、ギャングスタラップXというダンススクールだ

った。

古めのビルゆえ、オートロックのエントランスや受付ロビーはなく、誰でもエレベーターホールに立ち入れる。けれどもいざエレベーターに乗りこむ寸前になり、由嘉里はためらいをおぼえた。

「あの」由嘉里は誠治に声をかけた。「お父さん。やっぱり警察に……」

娘がもういなくても、夫のことをお父さんと呼んでしまう。誠治も由嘉里をお母さんと呼ぶ。癖が抜けきらない。積極的に直そうともしていなかった。

夫は苛立《いらだ》ちなどしめさない。エレベーターの扉が開いた。誠治が落ち着いた声でいった。「ここまできて、話ひとつせずに帰るのも変だろう」

戸惑いながらも由嘉里は一緒にエレベーターに乗った。前に来たときには依茉が横にいた。入学に際し緊張したようすだったのを思いだす。由嘉里は目を閉じた。これを想起したくなかったのかもしれない。

三階でエレベーターを降りると、すぐ目の前のガラス戸に、ギャングスタラップXの英語ロゴが貼ってある。モヒカンのヤンキーのイラストが添えられているのが神経を逆撫《さかな》でする。誠治が戸を押し開けた。

受付兼オフィスは以前と変わらなかった。いくつかある事務机は、顔見知りの担当者ひとり以外、空席になっている。その担当者も電話中だった。スーツではなく、ガラス戸と同じロゴがプリントされた、オリジナルグッズの長袖《ながそで》シャツを着ている。三十代半ばの芳池《よしいけ》という男性は、顔をあげこちらを一瞥《いちべつ》すると、あきらかに迷惑そうな面持ちになった。特に挨拶《あいさつ》するわけでもなく、電話の相手とぼそぼそ喋《しゃべ》りつづける。

先方が冗談をいったのか、芳池は笑いを浮かべた。ほどなく受話器を置いたが、真顔に戻りきらないまま、芳池の目がこちらに向いた。

「どうも」芳池はようやく腰を浮かせた。「なにかご用でしょうか」

誠治が頭をさげた。「高城です」

「はい。知ってま……存じあげております。このたびはどうも」

いちおうお悔やみを口にしたつもりらしい。誠治はあくまで冷静な態度のままだった。「きょうは火曜日だし、この時間は依茉と同じクラスがレッスン中のはずですね」

「ええ。そうです」

「依茉と知り合いだった少年がいるはずですが。何度となくラインにメッセージを送ってきた子です」

芳池がため息をついた。「警察にもそうおっしゃったんですよね。その件で刑事さんが来ました。そちらにお話しさせていただいたんですが」

「なにをですか？　特になにもうかがってませんが」

「たしかに依茉さんにラインで連絡したことがあるという子はいました。でも問題ないとあきらかになりまして」

「問題ないとは？」

「はい。ですから詳しいことは警察に……」

「どう問題なかったんでしょうか」

「ええと」芳池がたどたどしく説明した。「なんていうか、当日……。事件があった夜ですね、その子は親と一緒にいたんです」

アリバイがあったという主張のようだ。由嘉里は芳池に問いかけた。「その男の子はきょう出席していますよね？」

「はい……。お父様が同伴なさってます」

「お父様が？」

「刑事さんが来たりしたので」

誠治が芳池を見つめた。「会えますか。お父様ではなくお子さんのほうに」

芳池は苦い顔になりつつも机を離れた。「少々おまちください」

奥にもうひとつガラス戸があるが、そちらはたしかキッズ向けのクラスだった。芳池はエレベーターホールへでていくと、階段を上っていった。中学生以上は四階にクラスがある。

オフィスには高城夫妻だけが残された。ほどなく誠治がうろつきだした。芳池の机の上を眺めたのち、壁ぎわの棚に向かう。ふと一点に目をとめた。そこにはファイルが並んでいた。背表紙に生徒名簿とある。誠治は躊躇《ちゅうちょ》の素振りをしめしたものの、意を決したようにファイルを一冊引き抜いた。

由嘉里はあわてて駆け寄った。「まずいでしょ」

だが誠治は険しい表情でページを繰った。「警察はなにも伝えてくれないんだ。これぐらい……」

「でもなんの許可もなく……」

「しっ」誠治が手をとめた。「これだ。高校生Bクラス。依茉の名前もある」

三十人前後の氏名と住所、電話番号やメアドが載っていた。誠治はスマホをとりだし、カメラ機能を起動させると、名簿に向けシャッターを切った。

ガラス戸の向こうから靴音が響いてくる。階段を下る男性の声が低くこだましていた。なにを喋っているかはさだかではない。誠治があわてぎみにファイルを閉じ棚へ戻した。

ほぼ同時にガラス戸が開いた。芳池は後方を振りかえりながら入室してきたため、高城誠治の動作を目にとめたようすはなかった。それでもこちらに向き直ったとき、高城夫妻が棚の前に立っているのを見て、訝《いぶか》しげな顔になった。

後ろにつづくのは少年ではなく中年の男性だった。短髪をヘアアイロンで縮らせた丸顔の肥満体で、ポロシャツとスラックスがはちきれそうだった。目尻《めじり》が下がっていて、垂れぎみの両頬や突きだした下唇、三重顎《あご》にふてぶてしい表情。由嘉里はたちまち萎縮《いしゅく》した。たぶん少年の父親だろう。厄介そうな相手にしか見えない。

芳池が互いを紹介した。「こちらは哲基君のお父様、鱈島さんです。鱈島さん、高城さんご夫妻です」

鱈島は仏頂面で会釈した。由嘉里は誠治とともに深々とおじぎをした。

誠治が鱈島にきいた。「お子様は……」

「そりゃレッスン中でしょう」鱈島はぶっきらぼうにいった。「哲基がお嬢さんとラインでやりとりしたとか、親にはいちいち話さないし、よく知らなかったんですがね」

「事件当夜に哲基さんとご一緒だったのですか」

「いました。私は離婚してるんで、ふたりきりでしたけども」

「……家のなかにおられたわけですか。失礼ですが、なにか証明できるものは……」

すると鯖島は苦笑した。誠治に顎をしゃくりつつ、鯖島が芳池に話しかけた。「刑事みたいだな」

芳池がまごつきながら場をおさめようとした。「高城さん、うちから警察にちゃんと話をさせていただいて、警察のほうも納得してることですし、詳細はそっちでお尋ねになったほうが」

誠治は譲る姿勢をみせなかった。「哲基君にも会いたいんですが」

「さっきもいいましたがレッスン中です」

「なら終わるまでまっていいですか」

「それは困ります。ほかの生徒さんたちもいるんですよ。中学生の子も」

「場所を移して話をさせていただくので」

鯖島が咳《せき》ばらいをした。「高城さんね、うちの哲基はなんの関係もないんですよ。居座ったところでなにも変わりゃしない。警察呼んだら？　どうせ説得されて終わりでしょうが」

誠治が絶句する反応をしめした。由嘉里も言葉を失っていた。鯖島はさっきからいちどたりとも遺族に対する気遣いをみせない。お悔やみを口にしないと頑《かたく》なにきめているようでもある。配慮があって当然だとは思わないが、露骨な反発が気に障る。

しかし誠治はそれ以上食いさがったりせず、意外にもあっさりと頭をさげた。「どうもお邪魔しました」

由嘉里は面食らった。誠治がガラス戸へとひきかえしていく。当惑をおぼえながらそのあとにつづいた。芳池と鱈島は無言で見送っている。

ガラス戸をでた。由嘉里はエレベーターのボタンを押そうとした。そのとき誠治は、由嘉里の肩を軽く叩《たた》いてうながすと、わきの階段を駆け上りだした。

驚いたのは由嘉里ばかりではなかった。芳池がガラス戸から飛びだしてきた。「まった!」芳池が怒鳴りながら追いかけた。「勝手に教室へ入らないでください!」

鱈島も血相を変え、芳池とともに階段を駆け上っていく。由嘉里は動揺しながらも追わざるをえなかった。夫はむかしから温厚だったが、やはり忍耐の限界に達したらしい。由嘉里も同感だった。いまは是が非でも真実に近づきたい。

由嘉里は階段を上りきった。ここにもガラス戸があり、いまは開け放たれている。ヒップホップ・ミュージックが鳴り響いていた。レッスン室の壁は打ちっぱなしのコンクリートで、一方は全面が鏡張りになっている。

異様な光景だった。レッスン中というより自由時間そのものに見える。ガラスの前に立つのは講師らしき青年と、女子中学生とおぼしきふたりだけにすぎない。三十人前後もいるクラスとは思えなかった。十数人の少年が数人ずつ、そこかしこで駄弁《だべ》っている。特に不良っぽい身なりの五人が、タイル張りの床に座りこみ、ペットボトル飲料と菓子をひろげていた。さすがにアルコールやタバコは口にしていないが、いつ酒盛りに転じてもおかしくない空気だった。

芳池と鱈島が踏みこんだものの、誠治はそれより早く五人組に目をとめ、そこに駆け寄った。なぜ夫がそうしたか由嘉里もたちどころに理解できた。五人のうちひとりの顔が鱈島にそっくりだった。痩《や》せてはいるものの、とろんとした目と突きだした下唇は、父親譲りにちがいない。鼻にピアス、首筋にはタトゥー。どう見ても十代半ばだというのに、これを音楽のためのファッションという解釈で容認するなら、親がどうかしている。

誠治が前かがみになり少年に話しかけた。音楽が反響しているせいで声はきこえない。だが少年の耳には届いたようだ。厄介そうに見上げる表情も父親に重なる。

芳池が声を張った。「音楽をとめてくれ。とめろ!」

講師は眉《まゆ》をひそめつつアンプを操作した。ふいに静まりかえったレッスン室で、少年たちがいっせいに大人に目を向けてくる。

鱈島が憤然と誠治のもとに駆け寄った。「あんたどうかしてるぞ！　哲基、こんなの相手にするな」

だが誠治はかまわず問いただした。「哲基君、あの夜はほんとにこのお父さんと一緒にいたのか？　正直に答えてくれ。うちの娘と……依茉と会ってたんじゃないのか」

哲基はひたすら表情をこわばらせ、瞬《まばた》きもせず誠治を見上げている。うろたえる心が垣間《かいま》見える気がした。仲間たちはわけがわからないようすで、ただ互いに顔を見合わせていた。

鱈島が誠治の胸倉をつかんだ。「いい加減にしねえか、こいつ！」

由嘉里のなかに衝撃が走った。誠治が顔を真っ赤にしながら鱈島に抗《あらが》っている。取っ組み合いの喧嘩《けんか》をする夫の姿を初めてまのあたりにした。あわてて駆け寄り、誠治を引き離そうとするが、男ふたりの腕力はびくともしない。芳池も割って入ったものの、動揺しているせいだろう、レッスン室は土足禁止だとか意味不明なことばかり口走る。唖然《あぜん》とする少年少女らの視線に晒《さら》されつつ、大の大人たちがけたたましいほど騒然と争い、醜くつかみ合い怒鳴り合った。さっきの音楽よりうるさいのを自覚する。虚《むな》しさばかりがこみあげてくる。だが自分たちではどうにもできない。

16

夜の住宅街は静かだった。

中葛西《なかかさい》五丁目の路地には街路灯こそ少ないが、低層マンションの窓明かりがあちこちに灯《とも》り、それなりに明るかった。由嘉里は夫の誠治とともに、静寂のなかにたたずんでいた。

ダンススクールでの小競り合いが目と耳にこびりついている。ひどくやかましかった状況から一転、なんの音もしない路地に立ち尽くす自分たちがいる。喧噪《けんそう》が急にフェードアウトしたようにも感じる。それだけ移動中はなにも考えていなかったのだろう。意識はここに来ることを急ぐばかりだった。

誠治がスマホをいじっている。画面に映った画像をスワイプで拡大した。近くのマンションを仰ぎ見る。誠治はつぶやいた。「中葛西五の五十五の七……。ここだ」

ギャングスタラップXのオフィスで、誠治がこっそり撮った名簿に、鱈島哲基の名があった。住所は割れた。もう夜十時をまわっている。あまり人目につきたくないがゆえ、人通りがないのは幸いだ。この時刻になってしまったのには理由がある。

加賀町署を訪ね、捜査担当者に面会してきた。鱈島哲基が親と一緒にいたというのは本当なのか、裏をとったかどうかを問いただした。刑事の返答は妙に曖昧《あいまい》だった。問題がないときいております、刑事はそういった。捜査担当者ではないのかと誠治がきいた。はい、そうなんですが、この件に関してはほかに有力な情報がありまして。刑事はそんなふうに言葉を濁しつづけた。有力な情報とはなんなのか、具体的な説明はなかった。

弁護士にも相談してみたが、刑事事件の捜査は警察の権限であり、ひと区切りつくまではまかせておくしかないとの返事だった。ギャングスタラップXを直接訪ねたことも、逆に咎《とが》められてしまった。勝手に行動なさらないでください、弁護士はそんなふうに釘《くぎ》を刺してきた。

どうもおかしいと誠治はいった。由嘉里もそう感じざるをえなかった。

哲基が依茉にラインのメッセージを送った事実について、特に重要ではないと弁護士が告げた。先んじて刑事も同意見だった。ところがメッセージの内容はわからないという。それでなぜ重要でないと断言できるのか。そこを質問したものの、刑事にしろ弁護士にしろ口ごもるだけでしかない。

まさかとは思うが、なにか圧力でもかかってはいまいか。哲基の自宅を訪ねることで、その理由がうかがい知れるかもしれなかった。中葛西五丁目。江戸川区のなかでは地価が高い。マンションもわりと新しく立派だった。しかし哲基の父親に、警察や弁護士をも黙らせる力があるとは、さすがに信じがたい。

マンションのエントランスは路地に面するものの、オートロックが行く手を阻む。路地にはひとけがなかった。しばらくまっても帰宅する住人はいない。できれば部屋の前まで行きたいが、エントランスのインターホンで呼びだすしかないのだろうか。当然ながら門前払いを食うだけでしかない気もする。今後会う機会が失われてしまうのではないか。

それでもふたりはマンションの前を離れられずにいた。あの日、家をでる依茉の声、足音がきこえて仕方がない。たぶん帰っても眠れぬ夜を明かすのみだろう。いままでと同じことの繰りかえしだ。なにもわからないままでは帰れない。

そう思ったとき、エントランスの自動ドアが左右に開いた。現れたのはなんと哲基だった。いっそうワルぶった黒の革ジャンに身を包み、肩をそびやかしながら外にでてくる。

哲基はひとりだった。路地を歩きだそうとしたとき、誠治が足ばやに近づいた。哲基は立ちどまった。ぎょっとした顔をこちらに向けてくる。

誠治が声をかけた。「哲基君。ちょっといいか」

「なんだよ」哲基は後ずさった。「俺はなにも知らねえっていってるだろ」

「五分でいい。話をさせてくれ」

「喋《しゃべ》ることなんかなにもねえ!」哲基は吐き捨てるや背を向け、エントランスへ戻ろうとした。

だが誠治は哲基の行く手にまわりこみ立ち塞《ふさ》がった。「依茉を誘ったんじゃないのか。EEさんに会えるといって」

「うるせえな、知らねえって! てめえらいい加減にしねえと……」

やけに大きなエンジン音が轟《とどろ》いた。ふいに路地が明るくなった。ふたつ並んだヘッドライトが急接近してくる。甲高いブレーキ音とともに、由嘉里の目と鼻の先で停まった。

黒塗りのワンボックスカーだった。フロントにトヨタのマークがあるが、由嘉里には車種はわからなかった。運転席と助手席のドアが開いた。

ふたりとも哲基と似たようないでたちだが、ずんぐりした巨漢だった。年齢は二十を超えているようだ。どちらも訝《いぶか》しげに歩いてくる。ひとりがきいた。「なんだ？テッキ。あっちの角でまってろよ。こんなとこまで来させんな。俺たちゃ送迎バスか」

「ああ、シバさん」哲基が泣きつくような声を発した。「ちょうどよかった。このオヤジとババアがしつこくて」

シバと呼ばれた男は眉がなく、片頬には大きな傷跡があった。「てめえの保護者か」

「なわけねえ。依茉の親なんスよ」

由嘉里は瞬時に体温が低下するのを自覚した。ふたりの男の目つきが鋭くなった。これが尋常でない事態なのはあきらかだった。

「おいキラ」シバが連れをうながした。「こいつら積んでこうぜ」

キラは両手の甲にタトゥーの入った、一重瞼《ひとえまぶた》の目が吊《つ》りあがった男だった。すばやくキラが誠治の背後にまわり羽交い締めにする。

「おい!?」誠治が暴れた。「なにするんだ。放せ！」

愕然《がくぜん》とする由嘉里が声を発するより早く、シバが両腕で胴体をつかみあげてきた。由嘉里はシバの肩の上に掲げられ、ワンボックスカーへと運ばれていった。あまりに唐突な事態に認知が追いつかない。もがけば落下しそうで身じろぎひとつできない。

車体側面のスライドドアが開け放たれた。由嘉里は荷物のように投げこまれ、座席の上に転がった。あわてて身体を起こしたとき、キラが誠治を車内にひきずりこんだ。ふたりは運転席のすぐ後ろの席に、並んでおさまるのを余儀なくされた。

シバは背後の席に座ると、左右の手に鉤爪《かぎづめ》型のナイフを握り、それぞれ由嘉里と誠治の喉《のど》もとに這《は》わせた。

「ひっ」由嘉里は思わず声をあげた。

鼻で笑ったシバが後ろの席からいった。「じっとしてろよ、馬鹿娘の親ども」

誠治は背もたれに身を這わせ、半ばのけぞった姿勢のまま、震える声できいた。「うちの娘を知ってるんだな」

「うるせえんだよゴミ」シバが誠治の喉もとにナイフを食いこませた。

夫の首筋に血が滲《にじ》むのがわかる。誠治が苦痛の呻《うめ》きを発した。由嘉里の視界はたちまち涙にぼやけだした。弱々しく制止をうったえようとしても、それすら言葉にならない。

哲基が車外からスライドドアを閉じた。すぐさま助手席に乗りこむ。運転席ではすでにキラがハンドルを握っていた。

クルマは急発進した。慣性により由嘉里の喉もとを、刃《やいば》が強く圧迫してくる。肌が切れたのか、感電したような痛みが走った。由嘉里は歯を食いしばった。怖い。いまにも喉を深々と掻《か》き切られそうだ。

路地を縦横に折れていき、赤信号を無視しつつ、クルマが幹線道路にでた。右に左に大きく振られるたび、首が切断される恐怖に瀕《ひん》する。実際もう傷が徐々に深くなっているように感じる。夫を横目に見ると襟もとが血だらけだった。たぶん自分も同じありさまだろう。

片側二車線の道路は交通量が少なかった。空《す》いているぶん猛然と速度があがっていく。背後でシバが声を張った。「おいテツキ。このクズ夫婦はなんでおめえん家《ち》に来た？」

助手席の哲基が振りかえった。「ギャングスタラップXに現れやがったんスよ。依茉とラインしただろとかいって」

「マジか。おっさん、サツにたしなめられなかったかよ。勝手に人を疑うもんじゃねえってよ」

気になる言いぐさだった。警察が哲基を疑おうとしない理由を、この仲間たちも知っているのだろうか。

誠治が唸《うな》るような声できいた。「依茉は……どうなったんだ」

背後でシバが怒鳴った。「喋るんじゃねえ！」

運転席のキラが片手をあげた。「いいってことよ、シバ。おっさんの疑問の答えなら、俺の右手が知ってるぜ。鉄パイプの感触がまだてのひらに残ってる」

「……鉄パイプ？」誠治が荒い息遣いとともに、キラの後頭部を見つめた。

「ああ。打撃で頭蓋骨《ずがいこつ》を粉々に砕く瞬間の手応《てごた》えが、まだてのひらに残ってる。ありゃ忘れらんねえ。おめえらの娘、目ん玉飛びでてたぜ。鼻血や脳髄と一緒によ」

由嘉里は自分のうわずった呻きを耳にした。誠治が悲痛な嘆息を漏らす。

やはり哲基という少年が犯行に加わっていた。助手席の哲基は気まずそうな顔で前に向き直った。直接手を下したのはキラかもしれない。だが哲基も同罪だ。なんて恐ろしい状況だろう。人殺しがふつうに存在するなんて。しかもいま由嘉里と誠治の命は、娘を殺した一味の手に委《ゆだ》ねられている。

後ろの席のシバがキラにいった。「依茉に致命傷をあたえたのはおめえじゃねえだろ。ムクロさんのほうが一瞬早くなかったか」

「ぬかせ。俺のほうが早かった」キラが運転しながら振りかえった。「そのオヤジとババアどうする？」

「娘のもとへ送ってやろうぜ。そこの清新町《せいしんちょう》の入口から首都高にあがれよ」

「また新木場に行くのか？　やばくねえか。あの埠頭《ふとう》もたぶん閉鎖されてるぜ？」

「それもそうだな」シバが鉤爪型のナイフを、由嘉里と誠治の喉もとから遠ざけた。背後で座席にふんぞりかえる気配がある。シバの笑い声が響き渡った。「どこでもいいから東京湾《とうきょうわん》に投げこもうぜ。心中に見えるだろうからよ」

由嘉里は声をあげて泣いた。誠治と手を握りあう。いまできることはそれしかなかった。

キラがまた振り向いた。「木更津《きさらづ》は？　川崎からアクアラインであっちへ行けば、防犯カメラに映らずに死体を投げこみ放題……」

片側二車線で並走するクルマが横から接近してくるのを、由嘉里はサイドウィンドウにとらえた。向こうもワンボックスカーだった。車体が妙に大きく見えてくる。異常なほど距離が詰まっているからだ。

そう思ったとき二台の側面どうしが激しくぶつかった。車体は横転しそうなほど大きく傾いた。由嘉里は思わず悲鳴を発した。

「なんだ⁉」キラがハンドルにしがみついた。「どこの馬鹿野郎だ！」

後ろでシバも大きく揺られている。由嘉里はサイドウィンドウに目を向けた。ぶつかってきたクルマはもういない。どこかへ消えてしまった。

するとと今度は追突の衝撃が襲った。由嘉里も誠治も前方につんのめった。運転席と助手席の背もたれの裏に、夫婦揃って額を打ちつける。助手席の哲基もダッシュボードに顔面を強打していた。

後方にまわったクルマが執拗《しつよう》に体当たりを繰りかえしてくる。ぶつかるたび全身がひしゃげそうなほどのショックが包みこむ。徐々に車体が歪《ゆが》んできたのがわかる。サイドとリアのウィンドウガラスが砕け散った。烈風が吹きこんでくる。道路を爆走する二台のエンジン音が、鼓膜を破らんばかりに響き渡った。異常なほど速度がでている。

何者かのクルマはフロント部分が大きく凹《へこ》んでいた。なおもアクセルを吹かし、左右の斜め後方に繰りかえし衝突しつづける。

蛇行するクルマを制御しようと、キラが必死でハンドルを操りながら、嘆きに似た声を張りあげた。「なにしやがる!」

また二台が並んだ。ガラスが失われたからだろう、今度は相手の運転席がはっきりと見えた。由嘉里は息を呑《の》んだ。

ＥＥだ。江崎瑛里華がもう一台のステアリングを握っている。いたって冷静な表情の瑛里華が、側面からクルマをぶつけてくる。スライドドアが大きく内側へと凹んだ。夫の手が強く握ってきた。由嘉里は顔をあげた。誠治が由嘉里を見つめ、もう一方の手でシートベルトをひっぱった。締めるよう目でうながしてくる。

そうだった。シートベルトを締めていない。いま自分の命を守るにはこれしかない。由嘉里は誠治に倣いつつ、ふと横並びのクルマに視線を向けた。

瑛里華のクルマは、最初にぶつかってくるだいぶ前から、このクルマに速度を合わせていたようだ。しかしすぐには体当たりを食らわせてこなかった。なぜだろう。車内のようすをうかがっていたのか。シバが夫婦の喉もとから刃を遠ざけるのをまった。そのタイミングで矢継ぎ早に衝突してきた。そう思えてならない。

シバが車体後方を振りかえった。「畜生！　やべえぞ！」

キラと哲基も振り向いた。ふたりの驚愕《きょうがく》の顔が白く照らしだされたのは、瑛里華のクルマが背後から急接近したことを意味する。今度の衝撃の強さは、さっきの追突の比ではなかった。この世の終わりのような激しい振動とともに、車体が宙に跳ねあがった。外の景色が天地逆に回るのが見てとれる。直後、天井が叩《たた》きつけるように下降してきた。車高が大幅に圧縮された。頭を殴られたも同然だった。途方もない騒音が響き渡る。無数のガラスの粒が顔面を襲うなか、由嘉里の意識は遠のいた。これが人生最後に見る光景なのか。頭の片隅でそう思った直後、目の前が真っ暗になった。

17

紗奈は日産《にっさん》エルグランドのステアリングを握っていた。アクセルは踏みっぱなしだったが、クルマはもう動いていない。エンジンルームから水蒸気がもうもうと立ちこめる。前方にはトヨタのグランエースがひっくりかえっている。ついいましがたグランエースは道路沿いのガードレールを突き破り、荒川《あらかわ》の土手へと飛びこんでいき、斜面を転げ落ちていった。追突を食らわせた紗奈のクルマも、とうとう走行機能を失い、窪《くぼ》みに嵌《は》まりこんで停まった。エアバッグが展開し、一瞬だけ視界を覆ったが、いまはもう萎《しぼ》んでいた。

痺《しび》れる手でドアを開けにかかる。だがフレームが歪んだせいか開かなかった。蹴《け》りこんでもドアは外れない。

ため息をつき、紗奈は運転席の座面から腰のみを浮かせた。両膝《りょうひざ》を上げ、やや海老《えび》反りになりつつ、亀裂《きれつ》だらけのフロントガラスを両足で蹴った。ガラスは割れ、紗奈は車体前方へと飛びだした。降りしきるガラス粒のなか、斜面の草地に着地しながらしゃがんだ。

辺りのようすをうかがう。荒川の川面《かわも》は真っ黒に染まっていた。土手にはひとけがないが時間の問題だろう。民家は近くないものの、事故の音をききつけた野次馬が集まってくる。サイレンもそのうち耳に届く。行動するならいまのうちだった。

追突時にシートベルトで締めつけられた部分がひりつく。とはいえ痛みを感じにくい姿勢をとれば、重心が崩れてしまう。紗奈は慎重にグランエースへ歩み寄った。エルグランドのヘッドライトが片目だけ生きていて、上下逆になった車体を照らしている。ガラスの失われたサイドウィンドウから、人影が草地に這《は》いだそうとするのも、たちどころに視認できた。

典型的な不良ファッションが上半身のみ、俯《うつぶ》せに車外にでている。じたばたするものの、なかなか自由が得られないようだ。必死の形相だが眉《まゆ》がなく、片頰には傷があった。自分でつけた傷だろうと紗奈は思った。無法者気取りの十代や二十代は、舐《な》められたくないばかりに、常識ではありえないやり方で虚勢を張る。

側面からの風圧を早い段階で察知した。紗奈は俊敏なフットワークで飛び退いた。別の男が背後で水平に振った鉄パイプが空を切った。かなりの風圧だった。紗奈は身を翻しつつ振りかえった。

男の手の甲にタトゥーが入っていた。一重瞼《ひとえまぶた》が驚きに見開かれる。紗奈の右手は指先を揃え、猛然と弧を描きながら敵の脇の下を突き、深々と抉《えぐ》った。肋骨《ろっこつ》に阻まれないあいだを狙った。服ごと皮膚を突き破り、肉や神経を切断したのを指先に感じる。

男は絶叫した。紗奈が指を引き抜くと、血が噴きだす傷口を手でかばい、もう一方の手で鉄パイプを無造作に振りまわした。身体がまっすぐに立たないらしく、腕力だけで凶器をスイングさせる。それゆえ速度が確実に弱まっていた。

「シバ!」男が血走った目で怒鳴った。「こいつ……死んだんじゃなかったのかよ!?」

呼びかけた相手は、クルマから這いだそうとしている眉なしのようだ。シバなる男が叫びかえした。「キラ、馬鹿いってねえで手を貸せ!」

「馬鹿なんかいうかよ」キラと呼ばれた男の消耗は激しく、もう顔から血の気がひいていた。鉄パイプを振る手がとまった。紗奈をまじまじと凝視するうち、愕然《がくぜん》とした表情が浮かぶ。キラがつぶやいた。「おめえまさか、本物のEE……」

紗奈は即座に鉄パイプを奪いとり、すばやく半回転させたうえで、キラの胸部に突き刺した。満身の力まではこめず、鉄パイプの先端を背中まで貫通させることなく、キラの体内に留《とど》めた。それゆえ鉄パイプの逆側の先端から、血液が勢いよく噴射した。

動脈を断った。八割までの血液は、この管から体外へ撒《ま》き散らされる。鉄パイプが刺さったままのキラが仰向《あおむ》けに倒れ、赤い噴水と化した。

膝丈《ひざたけ》ワンピースを着た全身に返り血を浴びても、紗奈はなんとも思わず立ちつづけた。シバがようやく車外へ転げでて、ふらつきながら起きあがる。前屈姿勢で紗奈を睨《にら》みつけたが、やはり驚きと畏怖《いふ》のいろがひろがる。

千鶴と会っていなければこの反応はありえない。極度に臆《おく》したようすのシバだったが、両手に鉤爪《かぎづめ》型のナイフを握っていた。あるいはこの武器を拾うのに苦労していたのかもしれない。

シバの顔には片頬以外にも、無数の擦り傷や痣《あざ》ができていた。それらはまだ新しい。クルマの事故によるものだろう。焦燥に駆られたように、わめき声とともにシバが襲いかかった。左右の鉤爪が宙を切り裂き、紗奈めがけ同時に振り下ろされる。身を引いて躱《かわ》すと、今度は水平方向への攻撃に変わった。瞬時に動きを見極め、手刀で敵の手首を弾《はじ》き、鉤爪の軌道を逸《そ》らし回避しつづける。斜め下方から突きあげる刃《やいば》は、のけぞりながら逆に膝蹴《ひざげ》りで速く突きあげさせる。がら空きになった腹にこぶしを見舞った。シバは苦痛に前のめりになった。鉤爪を持った両手で抱きつこうとしてくる。

紗奈は後退して躱すと同時に、シバの交差した両前腕をつかみ、二本の鉤爪をそれぞれ左右逆の頸椎《けいつい》動脈に突き刺した。白目を剝《む》いたシバがあんぐりと口を開けた。両腕を胸の前でクロスし、首の両側から血液を噴出した状態で、シバは草地にくずおれた。ほぼ即死だった。

聴覚を研ぎ澄ます。複数の草がこすれる音が、シバの倒れたあともきこえる。紗奈は土手の下方に視線を向けた。死にかけの害虫のように、俯せの身体が川へと這っていく。体形からまだ少年だとわかる。

紗奈は車内を一瞥《いちべつ》した。高城夫妻が逆さまの状態で、ぐったりと脱力しきっている。髪が重力に引かれ逆立っていた。頭がわずかに浮いているのはシートベルトを締めていて、座席に固定されたままだからだ。紗奈は両手を車体の側面に這わせた。体重をかけながら押しこみ、クルマをごろりと側転させる。斜面だけにさほど力は必要なかった。軽い振動とともにクルマは正位置に戻った。

夫妻の無事をたしかめたいが、逃亡者を見逃せない。早くそちらの片をつける必要があった。紗奈は小走りに斜面を駆け下りていった。少年はほんの少しずつしか進まない。たちまち追いつき見下ろした。少年の腹の下に爪先《つまさき》を挿しいれ、軽く蹴りあげ仰向けにする。

鼻血を噴いた少年が紗奈を仰ぎ見た。最初から戦慄《せんりつ》していた顔が、紗奈をまのあたりにし、いっそう恐怖のいろを濃くする。

沸々と怒りがこみあげてくる。少年の顔には見覚えがあった。千鶴と一緒に画像に写っていた。テツキ、鱈島哲基という少年だ。

坂を一歩だけ登ると、紗奈は振り向きざま哲基を蹴った。哲基は土手を転がり落ちていった。紗奈もそれを追いかけた。

水飛沫《みずしぶき》があがる。川の端の浅瀬に哲基は落下した。俯せの後頭部を、紗奈はすかさず踏みつけた。哲基は両手を激しくばたつかせた。息のできない苦しみが極限に達するあたりで、紗奈は足を浮かせた。哲基がずぶ濡《ぬ》れの顔をあげ、ぜいぜいと慌ただしく呼吸をする。紗奈は川辺にしゃがみ、哲基の後頭部をつかむと、ふたたび水中へ押しこんだ。哲基がまた両手を振りかざしたが、紗奈は自分に近いほうの腕を握り、抵抗を封じこめた。もう一方の手は紗奈に届かない。

しばらく暴れていた哲基が、徐々に動きを小さくし、やがてぐったりしだした。紗奈は哲基の襟の後ろをつかみ、顔を水面上に引き揚げた。

「哲基」紗奈は静かに問いかけた。「千鶴を殺した？」

沈黙がかえってきた。哲基は震えながらいい淀《よど》むばかりで、しばらくまっても呻《うめ》き声しかきこえてこない。紗奈はまたも哲基の顔面を川のなかに突っこませた。哲基はあわただしくもがいた。空を掻《か》きむしる手がなにかをうったえているように思える。喋《しゃべ》る気になったらしい。紗奈はもういちど哲基の襟の後ろを持ちあげた。哲基の顔は川面からわずかに浮きあがった。

「俺じゃねえ！」哲基は半泣き状態でわめき散らした。「ヤッたのはコウさんたちだよ。轢《ひ》いたのはバジルさんだってきいた」

「轢いた？」

哲基はまだ言葉を濁した。紗奈が哲基の顔を川に沈めようとすると、今度は早いうちから取り乱す反応が生じた。

「まった！」哲基が声を張った。「まってくれよ。マックスさんとミナトさんが……。燃やした」

「……千鶴を？」

「勘弁してくれよ」哲基の声は情けない響きを帯びだした。「俺は先にその場を離れたんだよ」

「ミヅキって女は？」

「俺たちとつるんでる。先輩らとはまんべんなくつきあったりして、調子のいい女だ。俺はあまり好かねえ」

「コウ、マックス、バジル、ミナト、ミヅキ、ほかに仲間は？」

「まてよ。急にいわれても……」哲基の弁解じみたいいぐさに、紗奈はまた腕に力をこめようとした。すると哲基はたちまち慌てだした。「まてって！　そうポンポン思いだせるかよ。ジュラハンさんとムクロさんだ。ああ、キラさんやシバさん……」

「そのふたりならもう死んだ。無茶ばかりしでかせるのはなぜ？　どうして警察に捕まらないの」

「コウの親父さんは……。哭啾会《こくしゅうかい》の会長だ」

哭啾会。横浜と横須賀《よこすか》が拠点の指定暴力団だ。過去に神奈川県警との癒着が発覚し、問題視されたことがある。それがコウ一味の後ろ盾か。その種の不良グループは増長していくのが常だった。

紗奈はきいた。「依茉さんを殺したのは誰？」

「キラさんとムクロさん、ジュラハンさんだ」

「なんで殺した？」

「そりゃ……逃げようとしたから」

「逃げようとした？　それだけ？」

「それだけだよ」哲基は顔をくしゃくしゃにしながら泣きじゃくった。「もう許してくれよ。美月がEEだっていうから会っただけなんだよ。偽者だなんてふざけんなって話だろ。あんたも自分の名を騙《かた》られて迷惑だったはずじゃねえか」

静寂が訪れた。うつむいた哲基の顔から無数の雫《しずく》が滴り落ちる。川の水もあれば涙もあるだろう。荒いばかりだった息遣いが、ほんの少し落ち着いてきた。長いこと紗奈の手が、哲基の顔を川面《かわも》から浮かせたまま保っている。助ける気になったのではと期待したらしい。

紗奈は黙っていたが、胸の奥底から燃えあがる怒りの炎を、抑えこむつもりはなかった。立ちあがるや紗奈は哲基の後頭部を踏みつけた。哲基はまた俯《うつぶ》せのまま浅瀬に沈み、苦しげに暴れた。だが紗奈は両足で後頭部に乗った。哲基の顔は川底にめりこんだ。死にものぐるいに両手を振りかざす哲基が、紗奈の足首をつかんだものの、もはや握力は失われかけている。紗奈は難なく立ちつづけた。体重により哲基の鼻も口も、川底の泥のなかに埋没していく。

哲基の動きは鈍くなり、そのうち脱力しきった。腕や脚が水面に投げだされ、力なく漂いだした。紗奈は接岸するボートから降りるように、川辺へと軽く飛び移った。反動で哲基の水死体が川辺から遠ざかっていく。墨が満たしたような川面を、俯せの哲基がぷっかり浮かびながら遠ざかる。広い川幅からすれば哲基の存在など、ほんの小さな流木にすぎない。もう緩やかな川の流れに乗った。じきに東京湾へ消えていくだろう。

遠くでサイレンが湧いている。紗奈は振りかえり土手を駆け上った。グランエースの天井が低くなるほど潰《つぶ》れかけている。その側面に走り寄り、ガラスのなくなったサイドウィンドウからのぞきこんだ。依茉の父はヘッドレストに頭をもたせかけ、目を閉じたままだったが、かすかに呻いた。紗奈はその首筋に指先をあてた。脈拍が感じられる。

問題は隣の座席の由嘉里だ。見るかぎり呼吸の気配さえない。紗奈は急ぎ車外をまわりこむと、反対側のサイドウィンドウに駆けつけた。こちらにもガラスはない。由嘉里に手を伸ばす。失神しているだけのようだ。

スライドドアは外れかけていた。力ずくでこじ開けると、紗奈は手を挿しいれシートベルトを外した。由嘉里の上半身を背後から抱えこみつつ、いったん車外へとずらす。下半身はまだ座席に座ったままだ。

柔術の活法で瞬時に活をいれる。はっと息を呑《の》む反応があった。由嘉里の目がぼんやりと開いた。まだ全身には力が戻らないらしい。紗奈は由嘉里を座席に戻し、背もたれに身を委《ゆだ》ねさせた。

「由嘉里さん」紗奈は穏やかに声をかけた。「心配しないでください。じきに救急車が来るでしょう。ただ襲撃されたといってください。入院中はなにも知らないと答えればいいです。少年の家の前にいたことも話さないように」

紗奈はギャングスタラップXの受講生らをあたり、鱈島哲基の住所を知った。夜が更けだしてから、マンション前に張りこんでいたところ、由嘉里が現れてしまった。一緒にいるのが夫なのはあきらかだった。哲基がマンションからでてきたものの、仲間たちのクルマが現れ、夫妻が拉致《らち》されるのを見た。

ただちに紗奈は幹線道路沿いの中古車店に駆けこんだ。無人の店舗からスマートキーを盗み、ボタンを押すと、ハザードが光ったエルグランドを盗んだ。あの中古車店の前だけ、不自然に並木が消えていた。除草剤を無許可で撒《ま》く中古車ディーラーだった。商品を一台失うぐらいのペナルティはあってかまわない。

由嘉里はまだぼうっと虚空を眺めている。紗奈の言葉が頭に入ったようには思えない。もういちど繰りかえすべきだろうか。

そのとき由嘉里がささやいた。「依茉。あの子どこいったかしら。花火の時間はまだでしょ、お父さん」

静寂のなかに異様な空気が漂う。由嘉里の目は川のほうに向いていた。視野にとらえた風景から花火大会を連想したのかもしれない。

「ね、お父さん」由嘉里は蚊の鳴くような声でつづけた。「ひとりでもだいじょうぶだっていったでしょ。依茉はもう小五なんだし。友達もいっぱい来てるって」

由嘉里はかすかな笑い声を発した。口もとにも微笑が浮かんでいた。

紗奈は後ずさった。サイレンの音がかなり大きくなっている。そればかりではない。もう由嘉里との意思の疎通は困難だった。由嘉里には紗奈が見えていない。認識できるかどうかさえ怪しい。依茉がもういないことも……。

土手の上に人だかりがしている。野次馬が集まりだしていた。紗奈は身を翻し駆けだした。川辺の暗がりを選びながら、全力疾走で事故現場から遠ざかる。哀しみにとらわれてはいられない。指紋も汗も残してしまったがかまわない。コウ一味は根こそぎ地獄に叩《たた》き落とす。

18

哭啾会の本部ビルは横浜市緑《みどり》区にある、区役所より大きな建物だった。六十二歳の館《たて》ケ沢《さわ》猶之《なおゆき》は三代目会長になる。先代のころは若頭《わかがしら》を務めた。むかしの環境が羨《うらや》ましく思える。初代の本部は兵庫で、このビル以外にも全国に複数の支部があった。構成員と準構成員を合わせ三千人もの頭数を抱えた。いまは最盛期の半分以下だ。上納金もずいぶん減額し、かろうじて人材をつなぎとめている。

上納金は構成員のシノギのほか、準構成員のさらに下にあたる、暴走族や不良少年グループから吸いあげている。社会に馴染《なじ》めずグレる若年層は、次世代の構成員候補として、縄張りのなかに取りこむ必要もあった。

二十七になる息子の耕助《こうすけ》を、館ヶ沢会長はコウと呼んでいた。図体《ずうたい》ばかりでかくなり、頭にバンダナを巻いた顔つきも、一人前にはほど遠い。それでも構成員候補になりうる連中を束ねさせるべく、あるていどの権限をあたえてやったのだが……。

会長専用のオフィスは最上階の中央、窓のない部屋だった。都心とちがい相応の広さが確保できている。代紋を掲げた壁は漆塗りで、和洋折衷の趣があった。真んなかに据えたデスクに自分がおさまる日を、若頭だったころの館ヶ沢は夢見た。だが実現してからは茨《いばら》の道だ。

三人掛けのソファにコウがいる。立ったり座ったりせわしない。ときおりばつの悪そうなまなざしを向けてくる。いまだ年端もいかないガキのような素振りだ。巨漢だけに素人相手には凄《すご》みをきかせられるだろうが、父親の目から見ればいっこうに威厳が備わらない、なんとも中途半端な存在でしかなかった。

それでも長男坊は突き放せない。肘《ひじ》掛け椅子から館ヶ沢は忠告した。「落ち着け。座ってろ」

コウはいわれたとおりにした。なおも組みあわせた両手をしきりに揉《も》んでいる。あいかわらず頼りない。飯を食わせたぶん身体はでかくなったものの、肝は小さいままだ。

室内にはもうひとり四十代のスーツが立っていたが、ドアをノックする音をきき、壁を向いた。川崎署の生活安全課に身を置く刑事としては、来客に顔を見られたくないのだろう。警察との裏取引がさかんだった先代のころとは、環境も大きくちがっていた。釜泉《かまいずみ》巡査長はけっして振りかえろうとしない。

ドアが開き、三十代の若頭、飯尾《いいお》が頭をさげた。「鱈島さんです」

「いれろ」館ヶ沢は立ちあがらなかった。

きょう葬式だった哲基の父親、肥満体の鱈島が黒スーツで入室してきた。目を真っ赤に泣き腫《は》らし、鼻水を垂らしながら鱈島が声を張った。「なんで守ってくれなかった！」

「葬式に参列できなかったのは心苦しい」館ヶ沢は淡々といった。「俺もコウも忙しかったからな」

「いったいどこの誰のしわざだ。あんたたち絡みじゃないだろうな」

コウが不快そうに顔をしかめた。「口の利き方に気をつけなよ」

「なんだと」鱈島はソファのコウに歩み寄った。「哲基はあんたを慕ってたんだぞ。俺があんたに会ったのも、哲基が一緒にいてだいじょうぶかと心配したからだ。ところがあんたは、わざわざ会長さんに告げ口してまで、哲基が抜けるのを拒否しやがった」

「しやがった、だと?」コウは鱈島を睨《にら》みかえした。「パシリにすぎなくても途中で逃げられちゃ困るんだよ。哲基は俺たち全員の顔を知ってたし」

「哲基にはいつも金をせびられた。あんたに払ってたんだろ。哭啾会に身を寄せられたと思っていたのに、こんな仕打ちは酷《ひど》すぎる」

ヤクザへの憧《あこが》れを持つ中年男はいいカモになる。幼稚園や小学生のころから、暴れん坊の子分になりがちな、虎の威を借る狐だったのだろう。ただし金払いのよさ以外に、勘ちがいに走られては迷惑だ。カモの命など気にかけられない。

館ケ沢は視線を合わせずに返事した。「わかった。相手が誰だか知らねえが、おめえさんは守ってやるから気にするな。息子さんのことは残念だった。もう帰っていいぞ」

鱈島は不満げにデスクに近づいてきた。「帰っていいって、俺はあんたに呼びだされたわけじゃ……」

若頭の飯尾がすばやく背後に迫り、鱈島を羽交い締めにした。

「おい⁉」鱈島が身をよじり抵抗した。「なにすんだ。やめろ」

茶番はたくさんだ。館ケ沢は飯尾に顎《あご》をしゃくってみせた。飯尾は鱈島をドアの向こうへと連れだした。鱈島は最後まで大声を張りあげていた。

ドアが閉まる。コウが体裁悪そうにうつむく。館ケ沢は鼻を鳴らした。あんな準構成員ですらないゴミは本来、会長に面会できる立場にない。息子だからといって、親に際限なく迷惑をかけていいわけではない。館ケ沢は無言のうちに圧力をかけた。

川崎署の釜泉がようやく振りかえった。「捜査本部は活況だよ。本庁からもはりきった奴らが出向してきてる」俺ひとりでどうにかできる状況でもない」

そこまでの権限など端《はな》から期待していない。館ケ沢は釜泉を見つめた。「あんたは内情を流してくれればいい。襲撃してきたのは誰だ」

「見当がつかん。とんでもないやり手なのはたしかだ。鋭利な刃物や鈍器を使いこなしてたらしいと鑑識もいってる」

「鋭利な刃物や鈍器。馬鹿揃いの警察にわかるのはそれだけか」

「どっか抗争相手は？」

「こんな荒っぽい手を使ってくる奴はいまどきいねえ」

釜泉刑事の目がコウに向いた。「きみは心あたりないか」

コウが難しい顔になった。「女をふたり殺しちまったのはまずかったかもしれねえけどさ。復讐《ふくしゅう》されたことなんかねえし」

館ケ沢は釘《くぎ》を刺した。「見境なく遊び呆《ほう》けるばかりだからそうなる」

するとコウがむきになった。「女のどっちかにバックがついてたってのかよ。ありえねえよ。厄介が尾を引きそうなら始末していいって、親父もいったじゃねえか」

「いちいち尻拭《しりぬぐ》いする身にもなれ。女どもの素性はちゃんとわかってたのか」

「……依茉の親は今度のことで病院に運ばれてる。ただのパンピーだし、ババアはもう正常じゃなくなってる」

「殺した小娘の親なんて、なぜ攫《さら》った？」

「知らねえよ。シバもキラも死んじまったし」

「女はふたり殺したんだろ。もうひとりは千鶴って名前だとかいってたな？　どんな小娘だ」

「それが偽ユーチューバーでよ」

釜泉が反応した。「偽？」

「ああ」コウがバンダナの上から頭を掻《か》いた。「EEっていう有名なダンス系ユーチューバーにそっくりで、本人だって自称してた。じつは気弱な陰キャでよ。あれもなにか裏があったなんて思えねえ」

館ヶ沢は呆《あき》れた気分になった。「そんなのをわざわざ焼き殺したのか」

「嘘をつかれてコケにされたってのに、なにもせずにお帰り願えるかよ。メンツが立たなくなるだろが」

不良仲間どもに軽んじられたくないという、くだらない自尊心のなせるわざだった。愚行きわまりない。館ヶ沢は吐き捨てた。「もういい。今度同じことをしでかしたら勘当だからな。覚悟しとけ」

動揺するコウに釜泉刑事がきいた。「気弱な陰キャだからって、裏がないってなぜわかる？　ひょっとしてヤクザか半グレの身内じゃないのか」

コウは血相を変えながら首を横に振った。「ありえねえよ。川崎や横浜の若《わけ》え連中のグループは網羅してる。あんなのがどっかの血縁なら噂ぐらい伝わってくる」

なぜか釜泉刑事は真顔のままだった。低く唸《うな》るように釜泉がきいた。「EEってのはどんなユーチューバーだ？」

19

午前二時過ぎ、コウは横須賀のドブ板通りにいた。タイル張りの路地沿いには商店街が並ぶが、むろんどこも閉店し、辺りは暗く静まりかえっている。看板に英語表記がめだつというだけで、異国情緒とはまたちがう、ここ特有の雰囲気がある。旅行で行った広島の呉《くれ》にも似ていた。低層で小ぶりな建物が隙間なく軒を連ねる、そんなさまも共通している。

全体的に街並みが古い。老朽化した建物はときどき壊され更地になる。コウは空き地のひとつにグランエースを乗りいれ、仲間ふたりとともに覚醒剤《かくせいざい》にふけっていた。注射痕《こん》があれば親父にどやされる。職質で警察もうるさい。親父が川崎署の釜泉とつながっていても、そこいらの防犯警戒の警官らに睨まれるのは避けられない。いちいち面倒が起きる。

覚醒剤も粉末や結晶は一見してそれとわかってしまう。錠剤型のヤーバー、しかも市販のドロップと同じ形状に製造されたしろものを、哭啾会のバイヤーから分けてもらった。軽く砕いてからアルミホイルに載せ、下からライターの火で炙《あぶ》り、パイプで煙を吸いこむ。

たちまち頭がすっきり冴《さ》えてくる。そのぶんささいなことにとらわれずに済む。連れはでっぷり肥え太ったマックスと、五分刈りに口髭《くちひげ》のジュラハンだった。ふたりともだらしなく顔を弛緩《しかん》させだした。いつもなら冗談をいいあい、へらへらと笑うところだが、きょうは会話が弾まなかった。

空き地に駐車したグランエースのわき、剝《む》きだしの地面に三人で腰を下ろした。ゴミや枯れ葉を集め焚《た》き火をする。連れのふたりの顔が、火明にぼんやりと揺らぐ。

ふだんはもう少し時間を経てから試す、高価で作用の強い錠剤に、早くも手をつける。アルミホイルとライターをまわしたが、やはりこれまでとはどうもちがう。煩わしい感情がこみあげてくる。気分が腐って仕方がない。

手もとに戻ってきたアルミホイルを、コウは地面に投げつけた。「畜生」

ジュラハンもヤクの効き目が失《う》せたのか不安顔だった。「シバたちは誰に殺《や》られたんだよ」

「知るか」コウは吐き捨てた。「たぶん親父絡みのとばっちりだ。俺たちゃ関係ねえ」

ふたりとも腑《ふ》に落ちない表情をしている。肥満体のマックスがつぶやいた。「女の身内かもな」

「ねえよ!」コウは堪《たま》りかねて怒鳴った。「あんなのなんでもねえそこいらのガキだったろが。おめえらもそう思ってたからマワしたんじゃねえか。依茉にしたってそうだ。うざいから始末したってだけだろ」

「親父さんの力でなんとかならねえのかよ」

「話しといた。とにかく千鶴だの依茉だのは関係ねえ」

シバやキラ、テッキの死にざま。通り魔的な追突強盗にしては手慣れた犯行だった。しかも大胆で残忍すぎる。暴力団の抗争レベルでなければ、あんな死に方はありえない。グランエースが哭啾会の本部ビルに出入りするのを、親父の抗争相手が尾行したか、どこかで見かけるや襲撃を図ったのかもしれない。

ふと気になり、自然に目がクルマに向く。乗ってきたグランエース。もう一台と同じ車種だ。暴力団員がカーディーラーとの契約をも拒絶されるいま、車両の調達には苦労する。コウの足代わりは哭啾会のフロント企業の中古車屋で購入した。中古車屋が自前でメンテできるという理由で、二台ともグランエースになった。ほかの車種では、どうせ正規の整備を断られる。

まったく同じグランエース。しかも昨晩コウは本部ビルを訪ねた。クサクサしたため、マックスとジュラハンを誘い、こうして横須賀に来た。だがシバやキラが襲われた理由が、本部ビルへの出入りにあったのなら、このクルマも……。

エンジン音が徐々に大きくなるのが、幻聴か現実か区別がつかなかった。ヤクをやっていれば当然のことだ。にわかに注意が喚起された。目の前のドブ板通りが白く照らされたからだ。

ヘッドライトが滑りこんできたが、光源はふたつではなくひとつだった。でかいリッターバイクが空き地の前に、グランエースを塞《ふさ》ぐように停まった。スズキのハヤブサだった。吹かすエキゾーストのノイズが静寂に轟《とどろ》いた。

盗難バイクの可能性が著しく高い、コウはそう直感した。跨《また》がっているのは痩身《そうしん》の女で、車体のサイズが合っていない。ハーフコートを羽織りつつ、スカートの裾《すそ》を太腿《ふともも》までたくしあげている。最初からバイクででかける気だったのなら、こんな服装はありえない。

なにより女はヘルメットをかぶっていない。焚き火の光量は路地まで届かず、暗がりで顔はわからない。だが停車後もなお、女の髪が微風になびくのがわかる。機敏な動作でバイクから降りた。脚が長い。どこか幼さもある。まだ十代かもしれない。

ジュラハンが慌てぎみにLEDライトをつかみあげ、女に向け照射した。真っ白に浮かびあがった小顔は、眩《まぶ》しさをまるで感じないがごとく、瞬《まばた》きひとつしなかった。虹彩《こうさい》が透過して浮かびあがる。斜め下方から照らしているせいか、やたら不気味な面立ちに見えた。だが鳥肌が立ったのはそればかりではない。

マックスが巨体に似合わず甲高い叫びを発した。ジュラハンも恐れおののいている。コウら三人はみな尻餅《しりもち》をついたまま、腰が抜け立ちあがれずにいた。

千鶴。そんな馬鹿な。死んだはずだ。これは幻覚か。きっとそうだ。あいつは焼き殺した。骨のひとかけらも遺《のこ》ってやしない。

ジュラハンがうわずった声を発した。「マ、マックス。おまえちゃんと燃やしたのかよ」

「ちゃんと燃やしたって！」マックスの情けない返答が辺りにこだました。「ミナトと俺でちゃんと……」

千鶴がつかつかとマックスに歩み寄った。腰の立たないマックスが、狼狽《ろうばい》しながらコンバットナイフを引き抜く。マックスの尻は依然として地面から浮きあがらなかった。

距離を詰めた千鶴が、稲妻のように両腕を繰りだし、電光石火のごとくナイフを奪いとった。左手でマックスの頭髪をわしづかみにし、右手のナイフで丸々と肥えた両頬を瞬時に削《そ》ぎとった。わずか二秒のちには、マックスの丸顔は細面になり、大量の血を噴きだしていた。

返り血に千鶴は怖《お》じ気づくようすもなく、マックスの頭部を切り刻みつづけた。ナイフが縦横にすばやく走る。肉という肉が削がれていき、徐々に頭蓋骨《ずがいこつ》の形状があらわになってくる。おぞましい眺めだった。骨格標本そのものだ。

千鶴はマックスの首をつかみ、死にかけの肥満体を焚き火へひきずっていくと、炎のなかに叩《たた》きこんだ。樽《たる》のような巨体が突っ伏したまま燃えあがる。においはバーベキューと大きく異なる。吐き気をもよおす悪臭だった。

「ひいいっ」ジュラハンが尋常でないほど顔をひきつらせ、尻餅をついたまま後ずさった。

その声が千鶴の注意を引いたらしい。ナイフを逆手に握った千鶴がジュラハンに歩み寄る。ジュラハンは情けない声で命乞《いのちご》いを始めた。

豹《ひょう》のごとくすばやく踏みこんだ千鶴が、ジュラハンの胸倉をつかみあげ、ナイフで胸部を滅多刺しにする。おぞましい叫びとともに血飛沫《ちしぶき》が舞った。いまのうちだとコウは四つん這《ば》いでクルマへ走った。運転席へ転がりこむ。幸いにもスマートキーは自分のポケットにあった。

エンジンをかけたとき、サイドウィンドウの外で千鶴のナイフが、ジュラハンの喉《のど》もとを貫通するのを見た。骨の切断は小枝を折るような音を伴った。なおもノコギリのようにナイフを前後させるうち、ジュラハンの頭部が胴体を離れ、地面にごろりと転がった。

凄惨《せいさん》な光景だがすくみあがってはいられない。コウはエンジンをかけると、チェンジレバーをDに叩きこむや、アクセルを強く踏みつけた。加減を知らない急発進だった。路地にあったバイクに衝突し横倒しにする。タイヤがバイクを踏み、車体が大きく跳ねた。後輪が浮きあがったまま接地できなければ立ち往生になる。凍りつくような寒気がコウの全身を包んだ。

だがグランエースのタイヤはなんとか異物を踏み越えた。蛇行しながらドブ板通りを猛然と駆け抜ける。アクセルはベタ踏み状態だった。万が一にも飛びだしてくる人間や車両があっても、いっこうにかまいはしない。撥《は》ね飛ばしたうえでなおも全速力で逃げてやる。

バックミラーを確認するのが怖い。バイクでの追跡が不可能なはずでも、あの幽霊がなにをしでかすかわかったものではない。

異常なほどの迅速な身のこなし。コウも半ば気づきだしていた。幽霊などではない。あれは本物のEEだ。恨みだけは千鶴が憑依《ひょうい》したかのようだった。なぜ狙ってくる。知り合いだったのか。自分の名を騙《かた》る偽者など厄介な存在ではないのか。

路地を折れ、国道十六号線に飛びだしたとき、トラックと接触しそうになった。クラクションがけたたましく鳴り響く。深夜でも通行の途絶えない片側三車線で、右に左にとほかのクルマを追い抜き、コウはがむしゃらにクルマを走らせつづけた。

不安のなかでキャビンを振りかえる。EEがいつの間にか乗りこんでいたらどうする。だが車内に人影は見あたらなかった。車体にしがみついていないのはミラーでわかる。どちらもありえない事態だが、なにが起きてもふしぎでないようにも思える。

前方に向き直ったとき、ようやく汗がひいていくのを実感した。なおも恐怖は覚めやらないが、ひとまず逃げきったようだ。EEがジュラハンに襲いかかるまで待ったのが功を奏した。一瞬でも早くコウが動いていれば、EEはジュラハンを差し置き、標的を変更してきたにちがいない。

横浜横須賀道路の入口にクルマを乗りいれる。親父に助けを求めるしかない。仲間が次々と殺《や》られる。EEのしわざだとあきらかになった。信じられないことだがこの目で見た。事情など知ったことではない。始末しなければ安息の日々はない。

20

哭啾会会長、館ヶ沢猶之の自宅は、本部ビルから離れた場所にある。横浜市金沢区《かなざわ》内の住宅街、広い敷地面積を有する鉄筋コンクリート造の三階建てだった。窓の少なさは職業を考慮すれば当然の設計といえる。

まだ夜は明けていない。それでも館ヶ沢はパジャマにガウンを羽織り、リビングルームに起きだす羽目になった。ソファでは息子のコウが震えている。ヤクなんかやりやがって。腹が立ったものの、怯《おび》えきったわが子に追い打ちはかけられない。館ヶ沢は黙って隣に腰かけた。

外からクルマのエンジン音がきこえる。コウがびくっと反応した。館ヶ沢は片手をあげ、心配ないと目で告げた。

ほどなく玄関のドアが開閉する音がした。ぼそぼそと話すのは若頭の飯尾の声だった。訪問者を迎えたらしい。この時間には飯尾も帰っているのがふつうだ。コウからの連絡を受け、館ヶ沢が飯尾を呼びだした。眠たげな顔ひとつせず駆けつけた飯尾に、今後も相応の地位を約束したいと感じる。不義理だらけの世のなかだ。若造どもには忠義心が備わっていない。

「コウ」館ヶ沢は息子にきいた。「本当にユーチューバーのEEとやらだったのか」

「まちがえるもんかよ」コウはすがるような目を向けてきた。「あんなふうに動けるのはEEしかいねえ」

そっくりの女が勝手に本物の名を騙ったわけではないのか。本物のEEにとって身内だったのか。単純に考えれば双子の姉妹だろうが……。

ドアをノックする音がした。返事をしないのは館ヶ沢の習慣だった。開いたドアから飯尾が入ってきた。つづくのはくたびれたスーツ姿の釜泉刑事だった。

館ヶ沢はきいた。「どうだった?」

釜泉が立ったまま応じた。「EEこと江崎瑛里華の本名は遠藤恵令奈です。署に記録がありました。有坂一家殺人事件に絡んでます」

「有坂? 両親と娘の家族三人が殺されたやつか」

飯尾が付け加えた。「たしか衡田組の下っ端が後ろ盾になってた、不良高校生グループのしわざです。そいつらも全員死にました」

「そうです」釜泉刑事が神妙にうなずいた。「当時の捜査担当者はどういうわけか、遠藤恵令奈の関与を疑ったふしがあります。のちにDNAや指紋まで詳細に採取してるんですよ。ただしなんの問題もないとされています。渋谷109事件のときも、アリバイが立証された記録がありまして」

「妙だな」館ヶ沢は唸《うな》った。「根拠もなく毎度のように疑われるなんざ、まるで俺たちヤクザじゃねえか」

「ええ」釜泉が手帳をとりだしページを繰った。「哭啾会さんにかぎらず、よその組織も構成員はなにかにつけて、警察から指紋やら皮膚片やら採取されてます。県警にもそれらの膨大なデータバンクがありますが、遠藤恵令奈の血縁者らしき存在はゼロです」

ヤクザの身内ではないのか。館ヶ沢はふと浮かんだ考えを口にした。「ひょっとして焼死した千鶴という女は、江崎瑛里華こと遠藤恵令奈の替え玉か？」

コウがひきつった笑いを浮かべた。「替え玉なんて、親父みたいな職業じゃあるまいし……」

「いや」飯尾が真剣な面持ちでいった。「よく似てたのならありえます。双子でなくとも整形なら」

「なに？」コウが飯尾を見つめた。「なんで十代かそこいらの小娘のくせに、他人そっくりに整形なんか」

「他人に似せた整形じゃなかったのかも」飯尾が館ヶ沢に向き直った。「遠藤恵令奈と千鶴、どっちも同じ顔に整形されてたら？」

「ああ」館ヶ沢はうなずいた。「俺もそれを考えてた」

コウが鼻で笑った。「なんでわざわざそんなことするんだよ。ふたりをそっくり同じ顔にしてくれなんて、酔狂な注文を受ける整形外科医がいるかよ」

「注文じゃねえんだ」館ヶ沢は無知な息子に説いてやった。「その顔しか作れねえ執刀医ってことだ。昭和のころから、攫《さら》った女を売り飛ばすのに、モグリの整形外科医が重宝された。ところが連中ときたら、美人にしろといわれるとワンパターンでな」

釜泉が手帳を閉じた。「まさしくそれですよ。署のほうじゃ、遠藤恵令奈の指紋やDNAが被疑者と異なったり、アリバイがあったりした時点で、詳細を調べるのをやめたみたいです。でもあらためて掘ってみると、遠藤恵令奈は徳島生まれで、親に捨てられ身寄りもなかったようで」

コウが釜泉にきいた。「どうやってガキのころを生き抜いてたんだ？」

「里親ビジネスでシノギを稼ぐ、地元ヤクザの世話になっちまったみたいでしてね。向こうの知り合いに電話してみたら……。夜中なんで呂律《ろれつ》がまわってなかったが、その後はよく知らないって話だった」

どこかに売られた可能性もある。背景が徐々に浮かびあがってきた。ここは哭啾会のシマだ。十代の小娘にこれ以上好き勝手させられるか。館ケ沢は低く告げた。「釜泉、そこんとこを徹底的に洗え。成果があがれば取っ払いの報酬をくれてやる。俺たちにガセだけはつかませるなよ」

21

薄暗い室内で、紗奈はインターホンの応答ボタンを押した。「はい」

親機のモニターには、見知らぬ男が映っていた。七三分けのスーツ、年齢は四十代。浅黒く日焼けした顔は刑事か記者。目つきが鋭く歯並びは悪い。男の声がきこえてきた。「川崎署の釜泉といいます」

紗奈はオートロックの解錠ボタンを押し、黙って通話を切った。軽く鼻を鳴らす。前に来た刑事は櫻木と佐竹。いちど会えば同じ刑事の担当になるはずが、新顔がひとりきりで来た。偽刑事なら午後六時などには現れない。本物の刑事もガサいれの場合は早朝に訪ねてくるが、わざわざ住人の出入りの多いこの時間を狙う理由は知れている。紗奈に無茶をさせないためだ。この男は紗奈の抵抗を封じたがっている。

部屋の隅にあったリュックを手にとる。財布とノートパソコンを押しこんだ。部屋に帰れなくなってもかまわないように、必要最小限の物を詰めておく。不穏な空気を察したときにはいつもそうする。いま着ているのはカットソーに膝丈《ひざたけ》スカート、ソックスという軽装だった。これにダウンジャケットを羽織る。着替えなどどこかで買えばいい。右肩のみにリュックを背負い、靴を履く。

玄関ドアをでた。内通路を足ばやに突き進み、エレベーターに乗りこんだ。一階まで下りていく。

ロビーに入ると、ソファの近くに釜泉が立っていた。紗奈を見つめるまなざしに、なにやら怪しげな光が宿る。

引き締まった身体つきはかなり鍛えているとわかる。刑事である以上、さほど意外ではないものの、この歳にしては無駄な贅肉《ぜいにく》がなかった。腕力もありそうだった。

釜泉がつかつかと歩み寄りつつ身分証を開いた。本物なのはあきらかだ。生活安全課の巡査長だった。

目の前に立ちどまると、釜泉は自分の顎《あご》を撫《な》でまわした。口もとを歪《ゆが》めつつ釜泉はいった。「有坂紗奈」

紗奈はなんら動じなかった。実名で呼ばれるのはひさしぶりだが、正体に気づきうる人間など、いつ現れてもおかしくなかった。

しらじらしく否定する気にもなれない。紗奈はただ現実を告げた。「川崎署でそんな主張をしても変人扱いされるだけでしょ」

「いまんところはな」釜泉がぞんざいな口をきいた。「おまえの指紋とDNA型をもらえばひっくりかえる」

向こうも事実のみで応酬してきた。釜泉の主張どおりではある。川崎署は有坂紗奈の指紋とDNA型を知っている。そして渋谷109事件の際、別の刑事が遠藤恵令奈の指紋とDNA型を採取していったが、じつは千鶴のものだった。千鶴と顔が共通する紗奈が、いまや遠藤恵令奈になりすましていることも、生体データを照合すれば見破られる。

釜泉が鼻で笑った。「苦労したぜ。本物の遠藤恵令奈は、おまえより先に輪姦島に売られて、とっくに死んでたよな？　おまえは島民を皆殺しにしたうえ、遠藤恵令奈の名を騙《かた》って、川崎へ戻ってきたろ。同じ被害に遭った千鶴と一緒にな」

くだらない謎解きだと紗奈は思った。右肩からリュックを下ろし足もとに置いた。

紗奈は両手を自由にした状態で釜泉と向き合った。「なんでそんなことになったかわかる？」

「親を殺した不良どもに復讐《ふくしゅう》するためだろ。だが重罪人だな。渋谷109事件のアリバイも崩れたぜ」

「そうじゃなくて、わたしの両親が殺された、そもそもの理由は？」

「あ？　知らねえな。物騒な夜道を歩くほうが悪い」

「衡田組が一帯を牛耳ってた。解散になったらベトナム・マフィアが入りこんだ。治安がよくならないのは、地元の警官のなかに反社の仲間がいるから」

釜泉の顔がこわばった。「小娘のくせにわかったような口をききやがる」

「まともな刑事ならふたりで来る」

「嘘だと思うなら署に電話してみな」

「わざと勤務時間外に来たんだろうから、問い合わせたところでなんの意味もない。でも人を連行する権限もない」

「あいにくだな。おまえは有坂紗奈だと自供した。身柄を拘束して指紋やDNA型を採取するのに、なんの支障もあるかよ」

「裁判所の令状が必要でしょ」

「ふざけんな」釜泉は凄《すご》んだ。「いまこの場で逮捕してやる」

釜泉の手が伸びてきたが、紗奈はすばやく身を引き、サイドステップで立ち位置を変えた。

適度に距離が広がると紗奈はいった。「行き先はどうせ署じゃなく横浜の哭啾会本部」

「戯言《ざれごと》をほざけ」

「哭啾会への報告がガセに終わると自分の身がやばくなる。だから署にも哭啾会にも内緒で、ひとりでたしかめに来た」

業を煮やしたようすの釜泉が詰め寄ってきた。「ワッパをかけてひきずっていってやる」

ふたたび差しだされた手を、紗奈は勢いよく弾《はじ》いた。釜泉が痛そうに顔をしかめ、慌てぎみに手をひっこめた。

睨《にら》みあううち、エントランスの自動ドアが開いた。住人とおぼしき若い母親と小さな娘が、手をつなぎながら入ってくる。ふたりはロビーを横切っていき、エレベーターの扉のなかに消えた。

釜泉が不敵な笑いを浮かべた。「公妨で逮捕だ。おまえにはどうにもできん。住人が続々帰ってくる時間帯だからな」

三度めにしてようやく、釜泉が紗奈の手首をつかんだ。並びの悪い前歯がのぞく。

口臭もきつかった。乱暴な無法者に特有の、容赦のない握力のこめ方と、変態じみた鼻息の荒さが不快きわまりない。

「来いよ」釜泉がにやりとした。「おまえが本来いるはずだった地獄に突き落としてやる。輪姦島以上の地獄によ」

紗奈は手首を掌握された状態から、瞬時にてのひらをまわりこませ、逆に釜泉の手首を握りかえした。釜泉がぎょっとする間もあたえず、指先の力で顆状《かじょう》関節を、本来曲がらないほうへ捻《ね》じ曲げた。

激痛に釜泉が叫びながらひざまずいた。だが紗奈は手を放さず、もう一方の手をこぶしに固め、釜泉の顔面に勢いよく打ち下ろした。そのまま何発も繰りかえし正拳《せいけん》を叩《たた》きこんだ。釜泉は鼻血を噴き、みるみるうちに痣《あざ》だらけになっていく。それでも紗奈は殴打をやめなかった。自動ドアが開き、住人が入ってきたのを、紗奈は視界の端にとめた。なおもかまわず釜泉を殴りつづける。住人は怯《おび》えたようすで、逃げるようにエレベーターへ駆けこんでいった。

釜泉の顔が腫《は》れ、かなり変形してきたあたりで、紗奈は前蹴《まえげ》りを浴びせた。ロビーの大理石風の床に釜泉は転がった。鼻血があちこちに飛散した。

妙に回転が長引く。釜泉が故意にそうしているにちがいなかった。距離を置きながらなにかを謀《はか》っている。右手がスーツのなかに滑りこむのが見えた。私服警官は上の許可なしに拳銃《けんじゅう》の持ちだしはできない。哭啾会から拳銃を借りたのでは、撃ったとたんに癒着がばれる。携帯武器は特殊警棒にちがいない。

紗奈は駆け寄り間合いを詰めた。釜泉が武器を振りかざす前に、先制攻撃を加える必要がある。横たわった釜泉の右手に握られた物が、スプリングで数段にわたり延長し、五十センチ近い棒になった。やはり特殊警棒、それもチタニウム製で頑丈なしろものだった。思いきりスイングされた警棒の打撃を受ければ骨も砕ける。よってティクバックの最中に遮るしかない。

ところが釜泉は、さほど振りかぶってもいない状態から、警棒を紗奈の素脚に押し当てた。とたんに強烈な痺《しび》れを感じ、紗奈はその場につんのめった。

釜泉はふらつきながらも起きあがった。痰《たん》を吐いたのち、警棒を何度も打ち下ろしてきた。威力は充分でないはずだが、打撃のたび激痛が全身を麻痺《まひ》させる。紗奈は痙《けい》攣《れん》とともに呼吸困難におちいった。

汗に青白い火花が飛び散るのを目にした。特殊警棒はスタンガンを内蔵している。跳ね起きようとしたが身体が動かない。脚の痺れがいっこうに消えなかった。釜泉が紗奈を蹴った。今度は紗奈が床を転がる番だった。接客用ソファの脚にぶつかり回転がとまった。

駆け寄ってきた釜泉が興奮ぎみに警棒を突き下ろしてくる。警棒の先端は素脚ばかりを狙ってきた。耳障りなノイズとともに身体がのけぞる。釜泉が狂気じみた笑い声を発した。

突っ伏した紗奈だったが、高電圧にも徐々に慣れつつあるのを実感した。身体の自由がきくようになってきた。手は床を這《は》うコードをつかんでいた。気合いの発声とともに上半身を起きあがらせ、両手でコードをひっぱりながら、電気スタンドを床すれすれにぶん回した。遠心力で飛ぶ電気スタンドが、弧を描き釜泉に直撃する。釜泉は横倒しになり、全身を激しく床に叩きつけた。

苦痛に表情を歪《ゆが》める釜泉に対し、紗奈はコードをつかむ両手を高々とあげ、電気スタンドをヘリコプターのプロペラのごとく振りまわした。起きあがろうとする釜泉に繰りかえし電気スタンドを衝突させる。釜泉はそれを顔面と胸部にもろに食らい、撥《は》ね飛ばされたように宙を飛び、離れた床の上に倒れこんだ。

ロビーをまたも住人らが逃げ惑うように横断する。ほとんどはエレベーターへ向かったが、エントランスへ引きかえす姿もあった。紗奈はそちらを正視しなかった。電気スタンドが壊れるまでコードを全力で振りまわし、片時も容赦せず釜泉を打ちのめした。

釜泉にはかなりのダメージを負わせたが、電気スタンドでは致命傷をあたえられない。そのうち全壊状態になった電気スタンドはコードからちぎれた。釜泉は怒りの叫びとともに跳ね起き、なんと三人掛けソファを持ちあげると、紗奈に投げつけてきた。まだそれだけの力が残っているのも驚きではない。微妙な殴打ばかりなら人は立ち直る。紗奈は側面に転がりソファを避《よ》けた。身体を起こさないうちに釜泉が突進してくる。

しかし紗奈はまだコードを握ったままだった。投げ縄の要領で円を描き、釜泉の床から浮いた足首に巻きつける。釜泉は前のめりに転んだ。

紗奈はコードを引き絞り、釜泉の足首を強く締めあげた。だが周りを右往左往する住人の動きには、さすがに注意を向けきれていなかった。ひとりの男性が紗奈にぶつかった。紗奈は体勢を崩し、男性とともに転倒した。

いつしかロビーはパニック状態になっていた。帰宅してきた住人がエレベーターへ逃げるか、逆にエントランスへと退避していくか、混乱ばかりがひろがっていた。騒然とするロビーで、血まみれの釜泉が自販機に駆け寄り、前面のガラスカバーに肘鉄《ひじてつ》を食らわせた。アクリルではなくガラスの自販機を選んだ理由はあきらかだった。三角形の破片をつかみとり、ナイフ代わりに右手に握りしめると、目を剝《む》き紗奈に突進してきた。鼻血まみれの顔面はまさしく鬼の形相だった。

紗奈は両手のあいだにコードを張った。振り下ろされたガラス片を握る手首をインターセプトした。ところが釜泉のもう一方の手にもガラス片があった。姿勢を低くした釜泉が、紗奈の腹と太腿《ふともも》を斬り裂いた。

悲鳴をあげそうになるほどの激痛を堪《こら》え、紗奈は釜泉の片腕をつかみ、力ずくでひっぱりこんだ。しかし距離が詰まると、釜泉の自由なほうの手が、さらに猛然とガラス片で斬りつけてくる。前腕や脇腹を深く抉《えぐ》られた。裂けたダウンジャケットの下から血が流れだす。

刑事にしては異常なほどのやり手だった。まともな職務だけを遂行してきた人間とは思えない。釜泉の左右のこぶしを、紗奈は両方のてのひらで覆うようにつかんだ。満身の力をこめ握りしめる。ガラス片が釜泉のてのひらに食いこみ、血が滴り落ちた。釜泉は苦痛に絶叫した。だが双方ともに両手の自由を奪われた状況で、釜泉のほうが一瞬早く、紗奈の腹に膝蹴《ひざげ》りを見舞ってきた。悪いことにさっきの傷口を抉るようにめりこんだ。途方もない痛みに今度は紗奈も思わず叫びを発した。紗奈がよろめき後ずさると、釜泉は執拗《しつよう》に傷口ばかりを狙い、手刀や蹴りを浴びせてくる。あまりの激痛に感覚が麻痺し、膝が立たなくなった。紗奈はまたしても突っ伏しそうになった。

この野郎。激情が身体を突き動かした。紗奈は釜泉の襟をつかみ、一緒に引き倒した。近くに落ちていたコードを拾いつつ、釜泉の背後にまわる。すかさず釜泉の首にコードを巻きつけ絞めあげた。釜泉はじたばたと暴れ、両手のガラス片を振りまわした。肩や上腕を斬りつけられたが、紗奈はけっして手を放さなかった。釜泉の背に片膝を当て、紗奈自身は力いっぱいのけぞり、釜泉の気管を潰《つぶ》した。紗奈は腹の底から怒鳴った。「死ね！」

やがて釜泉は嘔吐《おうと》のように濁った声を発し、がっくりとうなだれた。脱力が失神か死か、たしかめようとすれば隙が生じる。紗奈は釜泉の前にまわりこんだ。釜泉は白目を剝いていた。すかさず紗奈は右手の人差し指と中指を、釜泉の左右の目に突き刺した。眼球が破裂する手応《てごた》えを指先に感じた。

両目があった二箇所から大量の血を噴きつつ、釜泉が後方へばったりと倒れた。とたんに複数の悲鳴があがった。紗奈はそちらを見た。退避する住人の一部が、腰が引けながらも足をとめ、こちらにスマホのカメラレンズを向けていた。紗奈と目が合うと怯えきったようすで逃げ去った。

紗奈はゆっくりと立ちあがった。気づけば辺り一面は血の海だった。床に置いたリュックも赤い液体を浴びている。かまわずリュックを右肩にかけ、紗奈はエントランスへと歩いていった。

マンションの外も大混乱だった。血まみれの紗奈が現れると、辺りはいっそう騒然となった。紗奈はかまわず突っ切ろうとしたが、ふと足がとまった。

同じ高層階の若い女性が、コンビニのポリ袋を提げたまま、唖然《あぜん》としてこちらを眺めている。現実か悪夢かと自問するような顔。以前に同じ心境を味わった、紗奈はそう思った。

逃げ惑う人々のなかを紗奈は歩きだした。どこへ行ってもサイレンと悲鳴に追われる。他人への憑依《ひょうい》が長引くうち、いつしか忘れかけていた。とっくに死人だ。現世での居場所などない。

22

時刻は午後十時を過ぎている。川崎署の刑事、櫻木は後輩の佐竹とともに、港町駅前のタワマンに来ていた。

何日か前にも足を運んだ場所だ。あのときはロビーで遠藤恵令奈と言葉を交わし、ほどなく立ち去った。

いまそのロビーに凄惨《せいさん》な眺めがひろがっている。内装のほぼすべてが血のいろに染まっていた。エントランスや窓の外側をブルーシートが覆う。タワマンを隙間なく囲む規制線が、報道陣や野次馬をひとり残らず閉めだしていた。

ロビーには簀《す》の子が並べてある。踏んでいいのはそこだけだ。青い制服の鑑識課員が複数動きまわり、あちこち写真を撮っている。櫻木や佐竹以外も、捜査員はみなビニール製のヘアカバーをかぶっていた。髪の毛一本落とさないためだが、どうにも冴《さ》えない見た目になるのは避けられない。

ただひとりヘアカバーをかぶらずに済んでいるのは、床に仰向《あおむ》けに転がる死体だった。同じ川崎署の刑事。釜泉東介《とうすけ》巡査長、四十三歳。

簀の子の上で佐竹が並んで立った。「ひどいですね。目玉を両方抉られてますよ」

「ああ」櫻木はつぶやいた。「容赦ないな」

感情の籠《こ》もらない自分の声をきいた。釜泉と同じ職場であっても、この男を同僚や同胞と認識したことはない。心なしかほかの捜査員や鑑識課員も、淡々と仕事をこなしているだけに見える。

釜泉には汚職疑惑があった。裏社会から賄賂《わいろ》を受け取っているとの噂があるたび、内部調査班の取り調べを受けていた。とりわけ哭啾会とのつながりが頻繁に疑われた。

佐竹がため息をついた。「死んじまいましたね。これでもう……」

櫻木はうなずいた。「汚職が発覚しても逮捕はなくなった」

死者には逃亡の恐れがないため、逮捕はそもそも必要ない。被疑者死亡のまま書類送検だけはされるものの、そのまま不起訴になる。

平成三十年、逮捕状未発付の根拠が争われた件で、最高裁の判決により明文化されたことがある。〝死亡届が受理された者について、裁判所は逮捕状を発付しない〟。いうなれば当然の話だ。逮捕の必要がなく不起訴に終わる死者について、裁判所も無意味な逮捕状など発付しない。釜泉は逃げきった。死んで懲罰を永遠に回避できた。

もっとも、天罰からは逃れられなかった。それがこの釜泉の死にざまにちがいない。ふつうならヤクザとのいざこざや仲間割れを疑う。だがそういう場合とは現場の様相が大きく異なる。いまどきこんなタワマンに暴力団員は住んでいない。

三十代の刑事、岩島《いわしま》が歩いてきた。手にスマホを持っている。「目撃者が撮った現場のようすです。観ますか」

櫻木は答えた。「きくまでもない」

岩島がタップした画面を、佐竹とともにのぞきこんだ。カメラが激しく揺れていた。

ロビーが騒然となっている。釜泉が倒れている場所は現場と同じだ。そのわきでゆっくりと立ちあがる人影がある。髪の長い女だった。ダウンジャケットやスカートがあちこち斬り刻まれている。もはや全身血まみれだった。

絶句せざるをえない。思わず目を疑う。これは遠藤恵令奈だ。

佐竹が慄然《りつぜん》とした面持ちでつぶやいた。「なんで彼女が……」

簀の子の上を歩いてくる靴音がする。振りかえると五十代の梨塚《なしづか》係長が呼んだ。「櫻木、佐竹」

櫻木は梨塚を見つめた。「こんなこと……。とても信じられません」

梨塚が硬い顔で足をとめた。「鑑識の話をきけ」

青い制服が梨塚につづき現れた。ベテラン鑑識課員の河西《かわにし》がいった。「その映像の被疑者な。指紋を単純に照合しただけだが、遠藤恵令奈ではないのはあきらかだ」

佐竹は頓狂《とんきょう》な声を発した。「なんですって⁉」

意味不明だと櫻木は思った。「どういうことですか」

河西の眉間《みけん》に皺《しわ》が寄った。「わからん。署にある遠藤恵令奈の生体情報とはまるで異なってる」

「なら……この女は誰ですか」

「ほかのあらゆるデータと照合するには数日かかる。署で記録しているすべての指紋とDNA型をあたってみる」

辞職した津田《つだ》という刑事からの申し送り事項に、遠藤恵令奈からの生体情報採取は万全を期した、そのように記してあった。鑑識にも同様の記録が残っていた。

櫻木はスマホに目を戻した。一時停止された画像に映る十代の少女。遠藤恵令奈でなければ、いったい誰だ……。

23

哭啾会の三代目会長、六十二歳の館ケ沢猶之は妻と別居中だった。もう長いこと会っていない。子供の面倒もみない妻に、財産を継がせるのは癪《しゃく》に障る。そのうち遺言書をしたためねばならない。

かといって二十七歳の息子にすべてを相続させるつもりもなかった。コウのくだらない蛮行がここまで尾を引いている。哭啾会に最大の災いをもたらしたのは、あろうことか館ケ沢が四代目候補に育てようとした息子だった。これが冗談ならどれだけ気が楽になるだろう。

午前零時をまわっていた。卓上の置時計がやけに大きな音で秒針を刻む。会長専用のオフィスでデスクにおさまった館ヶ沢は、とっくにネクタイを外し、ワイシャツの喉《のど》もとを開けていた。哭啾会の会長職に受け継がれる伝統だった。抗争相手の鉄砲玉が乗りこんできそうなときは、首を絞められそうな要素を排除する。むろんスーツの上に防弾防刃ベストも羽織る。鉄板を無数のポケットにいれたベストは重く、椅子から立ちあがるのも難しい。姿勢が悪いと腰が痛くなる。

苦々しい思いで館ヶ沢はソファに目を向けた。「コウ。おまえはもう家に帰れ」

コウはソファに座ったまま、すがるような面持ちで見かえした。「ここにいさせてくれよ。家より安全だし」

ため息が漏れる。デスクのわきに立つ三十代の若頭に、館ヶ沢は目を移した。「飯尾。腕の立つ奴らに息子を送らせろ。そのまま家に待機し守らせろ」

「わかりました」飯尾が応じたとき、ドアをノックする音が響いた。

開いたドアを入ってきたのは、舎弟頭《しゃていがしら》で用心棒も兼ねる筑根《つくね》だった。黒髪をオールバックに固め、眉《まゆ》の太い髭面《ひげづら》には愛嬌《あいきょう》のかけらもない。筋骨隆々とした身体をタートルネックのセーターに包んでいる。

筑根が報告した。「川崎臨海部のタワマンですが、殺されたのはやはり釜泉でした」

いっそうの憂鬱《ゆううつ》さが頭をもたげてくる。館ヶ沢はきいた。「たしかなのか」

「内通者の釜泉自身が死んだので、捜査の事情はわかりませんが、現場を遠目に観察してわかりました。救急車に搬入されるストレッチャーのわきで、釜泉の妻が泣き崩れてました」

釜泉からの連絡が途絶えたため、タワマン殺人の第一報を耳にしたとき、まさかとは思った。だが本当に釜泉が殺《や》られていたとは。

飯尾が疑問を口にした。「なんでそんなとこへ行ったんでしょうか」

ガセをつかませるなと館ヶ沢は釜泉に釘《くぎ》を刺した。釜泉は確証を得るため本人を直撃したのだろう。いちおう事前に報告を受けていた。くだんのタワマンに住むのは、遠藤恵令奈を名乗る有坂紗奈か。

ソファでスマホをいじるコウが、ふいに慄《おのの》きの声を発した。「や、やべえ」

館ヶ沢は苛立《いらだ》ちを募らせた。「どうした」

「ユーチューブのEEの動画……。チャンネルごと削除されてやがる」

存在をみずから消してきた。釜泉を殺した犯人として追われるのを危惧《きぐ》してのことか。いや、そんな臆病《おくびょう》な小娘とは思えない。もともと死んだことになっている女が、いよいよ幽霊として怨念《おんねん》を晴らそうとしている、そう考えたほうがしっくりくる。

飯尾が真顔でつぶやいた。「来やがるでしょう」

「だな」館ケ沢はうなずいた。「幽霊に失うものはない。きっと現れやがる」

とはいえ釜泉がまるで歯が立たないとは、いったいどういう事態だろう。小娘に屈強な仲間でもいるのか。それならそいつの足がついてもいいはずだ。

「会長」筑根が鋭い目を向けてきた。「沖縄の知り合いにきいてみたんですがね。いまどき顔を変えた女を売り飛ばせるところっていえば、冨米野島ぐらいだったんじゃねえかと」

「ああ」飯尾が納得したような顔になった。「冨米野島。いわゆる輪姦島か」

島民全員が不可解な死を遂げた。暴力団によるお礼参りや島民どうしの抗争など、原因には諸説ある。だがほかの可能性も考えられなくないか。

コウがうわべだけの笑いを取り繕った。「まさか売られた女が反乱を起こしたって？　ありえねえだろ」

飯尾は首を横に振った。「小娘の動画なら消える前に観ましたが、身体ができてます。島民をひとり殺り、ふたり殺りと慣れていけば、訓練にもなるでしょう」

ありうると館ケ沢は思った。「ヤクザもそうやって殺しをおぼえていくもんだからな」

地方には警察官が常駐しない島も少なからずある。冨米野島は半ば司法の目が届かない、売られた未成年売春婦にとっては孤立無援の離島だった。逆に島民にしてみれば、殺人事件が起きても島外の警察に助けを求められない。島内で日常と化していた犯罪行為の数々について、逆に摘発を受けてしまうからだ。内々に対処しようとしているうち、反逆者の女に皆殺しにされた。ありえない話ではない。冨米野島は高齢化していた。中年の世代もいたが、飲んだくれやヤク中が多かったときく。人間狩りの標的にして経験を積んでいくには最適だろう。

コウが真っ青な顔でつぶやいた。「マジかよ……。シバやキラや、マックスやジュラハンも、EEが殺ったって？　んなことありえんのかよ」

飯尾は冷めたまなざしをコウに投げかけた。「釜泉は俺と同じ道場に通ってました。期間は短いがかなり腕が立つようにもなってた。小娘に殺されたってのは、にわかには信じがたいが、たぶん事実なんでしょう」

「やべえよ」コウが動揺をあらわに嘆いた。「いっそう家になんか帰りたかねえ。親父。ここに置いてくれよ。俺の仲間も呼んでいいか」

館ケ沢はじれったさを募らせた。「落ち着け。もっと大勢に家を守らせてやる。ここより安全だ。住所が割れてないだろうからな」

「ならせめて別荘へ行かせてくれよ。あっちのほうが安全じゃねえか」

「駄目だ」

「なんで駄目だよ」コウが不審げな顔つきになった。「まさか親父が別荘に隠れる気じゃねえのか？　ここじゃ殴りこんでくださいといわんばかりだもんな」

「馬鹿いうな！」館ヶ沢は腹を立てた。「俺は逃げ隠れせん」

「会長」飯尾が低い声でささやいた。「殺られる前に殺るのが原則でしょう。小娘が網にかかったら、先んじて八つ裂きにしちまってもいいですか」

「むろんだ」館ヶ沢は沸々と煮えたぎる怒りとともに吐き捨てた。「小娘ごときに掻《か》きまわされたままで、先代に顔向けできるか。目にもの見せてやれ」

24

午前一時をまわった。小雨がぱらつくなか、紗奈は民家の屋根の上に潜んでいた。

陸屋根《ろくやね》はふつうの三角屋根にくらべ、地上から目にとまりにくい。二階建てばかりが連なる一帯で、ここより上の目線も見あたらない。ここにいればしばらく凌《しの》げる。

仰向《あおむ》けに寝転がり、片手でリュックをまさぐった。深刻な切り傷は三か所。ダウンジャケットごと裂けた胸の下と脇腹、スカートの下の太腿《ふともも》だった。もうガーゼが真っ赤に染まっている。そろそろ替えたほうがいい。

血まみれのシャツをはだけ、ガーゼをそっと剝《は》がしにかかる。サージカルテープは粘着力を失っていた。傷口は異常なほど深く、肉までざっくり裂けている。雨が降りかかるだけで激痛にひきつる。だがガーゼの貼り替えだけでは不充分だった。ほうっておけば傷口に細菌感染の恐れが生じる。

リュックから軟膏《なんこう》のチューブをとりだす。中身は抗生物質が何種類か混在する。前からリュックにおさめてあったものの、むろん市販薬にすぎない。もっと浅い傷のために用いる薬だろう。しかしなにもせずにいるわけにもいかない。

夕方、タワマンのロビーでの殺し合いのあと、軟膏を塗ったときの痛みを思いかえす。気を失いかけるほど悶絶《もんぜつ》した。それだけで心が鬱《うつ》する。いまはいくらか刺激が軽減していてほしいが、傷口の無残さを見るかぎり、とても期待できそうになかった。

腹の上でチューブを握り、絞りこんで軟膏を傷口に落とす。とたんに雷に打たれたに等しい痺《しび》れが全身にひろがる。心臓がとまるのではと思えるほどの息苦しさに、猛烈な不快感が襲う。歯を食いしばるだけではとても耐えられない。紗奈は思わず叫び、右に左にと寝返りをうった。胸もとを掻きむしろうとすれば、触れるだけで激痛に見舞われる。身体を動かすたび衣服がこすれ、傷口を押し広げていくように感じられる。

下から住人の声がきこえる。物音が響いたらしい。紗奈は片手で口をふさいだ。動作も必死に抑制した。痛みをまぎらわせるすべを封じられると、今度は意識が遠のきだした。失神しかかっている。

もう一方の手でリュックをまさぐった。痛み止めの錠剤を探す。小瓶をようやくつかんだが、蓋《ふた》を外せないほど指先が震えていた。やっとのことで蓋を開け、口もとで小瓶を傾ける。ぽろぽろと口に入ってきた錠剤を嚙《か》み砕き、無理やり飲みこんだ。水なしで飲み下すのには苦労する。ともすれば喉《のど》に詰まりそうになる。軽くむせながら紗奈は泣きそうになった。

新しいガーゼのパッケージを破き、そっと傷口に載せる。いちいち跳ね起きたくなるほどの激痛と痺れに、ひたすら両目をつぶって耐える。震える手でサージカルテープを貼ろうと試みる。雨ばかりでなく血や汗のせいで、肌は湿っていた。テープを貼ってもすぐに剝がれてしまう。指先でそっと汚れを拭《ぬぐ》うのにも、傷口に触れないよう細心の注意が必要だった。ときどき高圧電流のような痛みが走るものの、なんとか肌を滑らかにし、そこにサージカルテープを貼った。恐ろしく時間を要する作業だった。

雑な処置では今後まともに動くことさえかなわなくなる。

ようやく胸の下の傷にガーゼを貼り終えたとき、スマホの振動音をきゝつけた。リュックにはまだスマホが入っている。警察がまず遠藤恵令奈を疑い、現場の指紋から有坂紗奈の生存に気づいても、しばらくはスマホを持っていられる。泉稜楓の名で契約したスマホだ。身元が怪しまれるまで、いくらか日数の余裕がある。

紗奈はリュックからスマホをつかみだした。電話が着信している。Ildefonso と表示されていた。例のバーからだ。紗奈は応答ボタンを押したが、自分からは声ひとつ発さなかった。

アキオの声がひそひそと告げてきた。「きいてくれ。いまミヅキが店に来た」

「……どんなようす?」

「最初からだいぶ荒れてた。飲まなきゃやってらんねえとかいって、強い酒を呷《あお》ってやがる」

「電話に気づかれてない?」

「いま厨房《ちゅうぼう》にひっこんでる。俺ひとりしかいねえから長くは話せねえ」

「なんで教えてくれた?」

「教えろっていったのはそっちだろ」

「罠《わな》だったらただじゃおかない」

「うちはもう田代ファミリーにみかじめ料を払ってる。あんたのくれた百万で助かった。せめてもの礼のつもりだ」

哭啾会とのつながりはないとアキオは示唆している。本当だろうか。真偽をじっくり考えられる余裕が、いまの自分にはもうないことを、紗奈はよくわかっていた。どうせ行くことになる。ほかに手がかりもない。

紗奈はなにもいわず通話を切った。脇腹と太腿のガーゼは取り替えている暇もない。痛み止めを飲んだせいか、少し身体が楽になった気がする。即効性のおかげか、プラセボ効果のいずれかだろう。なんにせよいまは動ければ問題ない。

紗奈は身体を起こし、ゆっくりと立ちあがった。民家のフラット屋根の上から、川崎の夜景を眺める。川崎駅周辺に鮮やかな光の集合体が見てとれる。ここからそう遠くない。

千鶴がいないいま、闇に紛れる必要さえなくなった。ゴミは死ねばいい。そのためにあとわずかな時間だけ命をつなぐ。帰る場所はない。本当はいちど死んだときからそうだった。

25

川崎駅東口、東田町の繁華街も、午前二時近くともなれば閑散とする。紗奈が前に来たときと同じように、大半のシャッターは閉じきり、看板も消灯していた。

そんななかでも一軒のバー、イルデフォンソの窓明かりは煌々《こうこう》と光を放っている。カウンター席が明瞭《めいりょう》に見えた。ガラの悪そうな男たちに交ざり、巻き髪でニットセーターの若い女が見てとれる。

紗奈はドアを開け、店のなかに入った。カウンターのなかのアキオと目が合う。アキオは素知らぬ顔で奥の厨房へと立ち去った。これから起きることを見聞きしない、無言のうちにそう宣言するような素振りだった。

女はまだ背を向け、隣の男と談笑している。紛れもなくミヅキだった。横顔からも十代だとわかるが、指先にはタバコをつまんでいた。店内には霧のごとく煙が立ちこめる。においもきつかった。

酒がまわっているせいか、客は誰も紗奈を振りかえらなかった。紗奈はミヅキの背後に歩み寄ると、ふいに腕をつかみあげた。驚くミヅキに対し、紗奈もしっかり腕を絡ませ、容易に逃れられないようにする。引き立てると周りの男たちがどよめいた。なにしてやがる、どこへ連れてく気だ。そんな罵声《ばせい》を浴びながら、紗奈はミヅキをひきずり、店の外に連れだした。

路地のアスファルトは雨に濡《ぬ》れている。閉じたシャッターだらけ、ゴミ袋が山積みになった道端に、紗奈はミヅキを放りだした。ミヅキは手足をばたつかせたあげく尻《しり》餅《もち》をついた。

「痛《いて》ぇ」ミヅキは酔っ払っていたが、状況は把握できているらしい。憤りをあらわにしつつ紗奈を仰ぎ見た。「てめえいったいなんの……」

目が異様なほど見開かれる。ミヅキは凍りついていた。幽霊を見るような表情を、紗奈はこれまでもしばしば向けられてきた。いまもそうだった。極度に恐怖のいろが浮かぶ場合、罪の意識が当人にある。

「……なんで？」ミヅキが驚愕《きょうがく》の表情でささやいた。「なんであんた、生きてんの……？」

ミヅキの視線は紗奈の身体に向いた。怯《おび》えのいろがさらに濃くなる。衣服も肌もそこいらじゅう切り裂かれ、血まみれになった紗奈を見て、千鶴だと確信を深めたようでもある。すなわち千鶴は焼かれる前、よほど多くの怪我を負わされたのだろう。

胸の奥で怒りの炎が燃えあがる。紗奈はミヅキの胸倉をつかみあげた。

「ひっ」ミヅキは抵抗せず、ただ表情をこわばらせ、全身を硬直させている。だが間近で紗奈の顔と向き合ううち、まなざしに変化が生じた。千鶴とのちがいに気づいたようだ。

紗奈はたずねた。「千鶴が死んだとき、一緒にいた?」

「あ……あんた」ミヅキの震えが激しさを増した。「まさか本物のEE……?」

「ヨコハマベイクラブ。ほかに誰がいたの」

「わ、わたしは関わってないって! テツキが強引に誘ってきたからさ。EEさんが来るからって」

アキオからきいた話とすでに食いちがっている。死んだテツキに責任を押しつければ、どこにも証拠など残らない。ミヅキはそんなふうに舐《な》めてかかっている。

「とぼけないでくれる?」紗奈はミヅキに顔を近づけた。「あんたが千鶴をわたしとまちがえたのは、べつに悪くない。でもほかの奴らが千鶴に乱暴しようとしたとき、どうして自分のせいだといわなかった?」

「だって……。あの子、あの偽者はさ、否定しなかったじゃん。EEだって認めてたじゃん。自業自得でしょ」

「焼き殺されても当然だって？　それまでなにもせずただ見てた？」

「仕方ないでしょ。悪いのは偽者の子だって！」

「依茉は？」

　ミヅキが息を呑《の》む反応をしめした。震えるばかりでひとことも発しない。

　紗奈は語気を強めた。「ふたりを見殺しにした」

「わたしのせいじゃない！」ミヅキが涙ながらに弁解した。「テッキがコウみたいな奴らとつきあってるからいけねえんだよ！」

　コウ。哭啾会会長の息子、館ヶ沢耕助。横浜の哭啾会本部を何度か張りこむうち、地元では有名な札付きのワルだ。検索しただけで名前が見つかった、グランエースの出入りに目をとめ、横須賀まで追いかけた。だがいちど逃がしてからは、コウの行方は杳《よう》として知れない。たぶんクルマを替えたのだろう。

「どこ？」紗奈は問いかけた。「コウの居場所は？」

「家に引き籠《こ》もるってよ！　仲間にも避難してこいって呼びかけてる」

「あんたは行かなかったの」

「わたしはあいつらの仲間じゃねえ！　一緒にいたけど、あくまでテッキの知り合いでしかなくて……」

いきなり背後から棒状の物で殴られた。紗奈は路地につんのめった。激痛とともに耳鳴りが襲う。ミヅキから手を放してしまった。自由になったミヅキは、泡を食って路面を這《は》い、必死に遠ざかった。

紗奈は身体を起こしかけたが、またも角材が紗奈の脇腹を強打した。傷口に一撃を食らい、紗奈は苦痛のあまり、横たわったままうずくまった。

取り囲むのはバーの客たちだった。さっきミヅキと談笑していた男が、紗奈を蹴《け》りこみながら怒鳴った。「おめえ、いきなり店に入ってきて、なに絡んでんだよ」

別の男も角材でしきりに突きを浴びせてきた。「なんだよこのキモいコスプレはよ。ハロウィーンはとっくに終わったろが」

「まてよ」三人目の男が呼びかけた。「こいつ、ほんとに怪我してやがるみたいだぜ」

「マジか」最初の男が角材の先で、紗奈の脇の傷口を抉《えぐ》った。

神経ごと肉をひきちぎられるような激痛だった。紗奈は身をよじりながら悲鳴を発した。

へっと笑う男が、手にした角材を、今度は紗奈の太腿《ふともも》にあてがった。「面白え。するとここもかよ」

血に染まったガーゼを引き剝《は》がし、ざらついた角材がこすりつけられる。紗奈は仰《あお》向《む》けに倒れ、歯ぎしりとともに痛みに耐えた。笑い声をあげる三人の男の向こうで、こちらを見下ろすミヅキが目にとまった。ミヅキは戦々恐々としていたものの、男たちが紗奈を圧倒するのを見て、安堵《あんど》の微笑を浮かべた。

紗奈の憤怒《ふんぬ》は頂点に達した。千鶴の視界に最後に映ったのも、この愚劣な光景にちがいない。

瞬時に全身の筋肉を突き動かすものがあった。紗奈は両手ですばやく角材を握りしめた。男がぎょっとする間もなく、その顔めがけ角材を逆に突きあげた。一瞬で鼻血を噴き、男はのけぞりながら後方へ吹き飛んだ。

角材を奪った紗奈は、前転しながら起きあがると、その勢いのまま目の前のひとりにスイングした。頭部を野球のボールのごとく叩《たた》き飛ばす。目を剝《む》いた男が倒れたとき、最後のひとりが角材で襲いかかってきた。

紗奈は自分の角材を斜めに保持し、敵の攻撃をインターセプトした。視界の端に、ミヅキがあわてながら身を翻し、逃走しだしたのをとらえた。だが男がむきになり角材を縦横に振るってくる。ただちにはミヅキを追えない。

だがそれも数秒のことにすぎなかった。多様な技を身につけ、意識せずとも肉体の条件反射に生きるまでにせよと、ジョアキム・カランブーは書いた。沖縄の琉球《りゅうきゅう》古武術で用いられる棒術を、紗奈は独学で習得していた。すばやく薙《な》ぎ払い、打ちこみ、遮られるや、角材のもう一方の端で金的攻撃を浴びせる。男が呻《うめ》いて前のめりになったところに、額めがけ強烈な突きを食らわせた。

白目を剝いた男が勢いよく横倒しになった。金属音がきこえた。男のポケットから鍵束《かぎたば》が路面に落ちた。

逃走していくミヅキの後ろ姿が見えている。もう少しで幹線道路との交差点に達する。そこはこの時間でもクルマの往来が多い。ミヅキが道路沿いの歩道にでてしまえば、人目につきやすくなる。

紗奈は鍵束をすくいあげると、猛然と駆けだした。ミヅキがこちらを振りかえり、慌てたようすで走りつづける。紗奈は痛みのあまり重心も定まらず、ペースもあがらなかった。それでもミヅキよりは速い。距離はみるみるうちに詰まった。

手にした鍵束をサイドスローで投げつける。鍵束はミヅキの後頭部に命中した。呻き声とともにミヅキが前方に突っ伏した。

息を切らしながら紗奈は歩み寄った。響くようにずきずきと痛む脇腹をかばい、片足をひきずりつつミヅキのもとに近づく。路上に片膝《かたひざ》をつくと、紗奈は俯《うつぶ》せのミヅキの肩をつかみ、力ずくで仰向けにした。

ミヅキは気を失ってはいなかった。泥水にまみれた顔に怒りのいろが浮かぶ。必死に両手を振り乱し、癇癪《かんしゃく》を起こしながらミヅキは怒鳴った。「もうほっといて！　あいつらが勝手にやったことだってば！」

「コウの居場所は？」

「あいつの家」

「どこ？」

「ラインで地図送ってきたけど、わたしは行かない。仲間なんかじゃない！」

「その地図は？」

ミヅキは震える手でポケットをまさぐり、スマホをとりだした。尋常でない怯《おび》えようのせいで、操作もままならないようすだったが、やがてスマホを押しつけてきた。

「ほら、ここ！」

紗奈はスマホを受けとった。だがその隙を突くように、ミヅキは跳ね起きるや、交差点のほうへ逃走していった。ガードレールを乗り越え、一心不乱に道路を突っ切っていく。

けたたましいクラクションが鳴り響いた。ヘッドライトに照らされ、ミヅキの全身が真っ白に染まった。愕然《がくぜん》としたミヅキが凍りつくように立ち尽くす。だがそれも一瞬にすぎず、トレーラーが猛スピードで突っこんできた。衝突の瞬間、ミヅキの肉体が破裂するようにばらばらになり、腕や脚がタイヤに轢《ひ》かれた。急ブレーキが甲高いノイズを奏でる。

紗奈はしばし路上を眺め、スマホの画面に目を転じた。ラインのメッセージとともに受信した位置情報が、地図上に映しだされている。横浜市金沢区伊野宮《いのみや》一―二―一。

スマホを放りだすと、紗奈は踵《きびす》をかえした。落ちている鍵束を拾ったのち、いま来た路地をひきかえす。片脚がひどく痺《しび》れる。絶えずひきずらなければ歩を進められなくなった。痛みを意識的に遠ざけつつ、紗奈は無理やり歩きつづけた。呼吸が荒くなる。視界も霞《かす》みだしていた。

まだ膝はつけない。千鶴の無念を晴らしていない。死者はなにかを感じるのだろうか。わからない。自分のためかもしれない。なんにせよもう止められない。

路上にはさっきの三人がまだ伸びていた。バーのドアが半開きになり、アキオやほかの客が、不安げな顔をのぞかせている。紗奈を見るや慌てぎみにひっこみ、ドアが閉じられた。

紗奈は鍵束についているスマートキーのボタンを押した。数軒先のコインパーキングでハザードが点滅している。大型SUV、マツダのCX8のようだった。麻痺《まひ》しがちな片脚をひきずり、紗奈はクルマへと急いだ。サイレンがきこえてくる。ここにもういられない。時間は残り少ない。この世に生きた証《あかし》に、ひとりでも多くのゴミを地獄へ突き落とす。

26

コウこと館ヶ沢耕助は自宅のリビングルームに籠《こ》もっていた。とはいえ、そこいらのパンピーが住むショボい一軒家とはちがう。三階建ての豪邸だが、自分の部屋に引き籠もる気にはなれなかった。ひとりでいるのは無性に不安だった。このリビングは二階にあるため、玄関と屋上のどちらから侵入されようと、最も到達しにくい場所になる。追い詰められそうになっても、まだ上か下へ逃げられる。

物心ついたときにはこの豪邸と本部ビルがあった。ごく当たり前の生活範囲だった。おまえは特別だと親父から吹きこまれ育ってきた。母親がいなくなることさえ、ほかの家庭とはちがう特権階級であるがゆえ、そんなふうに納得させられた。コウは小学校どころか幼稚園のころから、同い年の子分どもを引き連れ、喧嘩《けんか》上等の日々を送った。年上から絡まれ、まるで歯が立たないときにも、親父にいいつければ難なく解決した。目障りな手合いはたいてい、翌日には家族ごと遠くへ引っ越していった。

高校生になったあたりから、親父が堅苦しい仕来《しきた》りを学ばせようとしてきた。若頭の飯尾が教育係になったが、コウはほどなく音をあげ、すべてを放棄してしまった。飯尾は苛立《いらだ》ちをあらわにしたが、コウは親父に直訴し、その種の束縛から自分を解放してくれるよう求めた。親父は忙しいせいで、コウにもさほどかまっておられず、さっさとトラブルを収拾しようとした。飯尾による指導は親父による命令で中断、コウはふたたび自由を手にいれた。会長の跡目争いからは、半ばドロップアウトしたとみなされている。それがどうしたとコウは居直っていた。三代目のひとり息子として、相応に立場が尊重され、金が入ってくるなら文句はない。ワルを気取るにも暴力団は締めつけが多すぎる。うまく立ちまわるには相当の知恵とフットワークが必要になる。そんな面倒はやりたい奴にやらせればいい。

いまどきの日本でも好き放題に生きられる、自分がその体現者だと、強く感じるようになった。強盗から殺しまで、なんのためらいもなく実行できるようになったものの、よその暴力団とのいざこざは極力避けた。親父に迷惑がかかる。死なせるのはけっして火の粉が飛んでくることのない、警察も捜査に本腰をいれない弱者のみだ。そのルールさえ守っていれば、どんなに身勝手な暮らしだろうと維持できる。特に川崎署の管轄内なら、警察沙汰《ざた》になりかけても釜泉が助けてくれる。誰にも遠慮はいらない。どうせ命あるうちが華だ。

　ところが予期せぬ問題が生じた。これはせいぜい問題と呼ぶレベルでしかない、自分にそういいきかせた。ちょっとしたイレギュラーだ。哭啾会がこのていどの波乱で揺らぐはずがない。

　そう思いながらコウはカーペットに胡座《あぐら》をかき、絶えずスマホの画面に見いっていた。防犯カメラのモニター用アプリが起動している。屋敷の周辺に設置されたカメラの映像が、ワイファイ電波で飛ばされ、リアルタイムで視聴できる。午前三時をまわり、周辺の住宅街は静止画のごとく動かない。それでもなにか小さなものがちらつくような気がして、たびたび凝視する羽目になる。自分の手が震えているからだろうか。

　ミナトの声が呼びかけた。「なあコウ」

　コウは顔をあげた。広々としたリビングルームは、親父の趣味を反映した、やたら豪華な調度品に彩られている。そこにまるで似合わない不良ファッションの巨漢が三人。ミナトのほか、タンクトップ姿のバジルに、スキンヘッドでヒョウ柄コートのムクロ。いずれも床に座り、だらしなく脚を投げだしていた。

「なんだよ」コウはミナトにきいた。

「ヤクやらねえか」

「馬鹿いえ。ここじゃ親父にどやされる」

バジルが舌打ちした。「腰抜けが」

「なに？」コウはいきり立った。「いまなにをほざきやがった」

ムクロがうんざりしたように咎《とが》めた。「やめろよ。バジルも口に気をつけろ」

不良グループの誰もがむっつりと押し黙る。かといって静寂がひろがったわけでもない。室内はずっと慌ただしかった。出入りするスーツらはみな、コウの仲間たちより年上の強面《こわもて》ばかりだが、総じて緊張の表情だった。

構成員らは常に邸内を動きまわり、ドアや窓などを巡回する。指揮を執るのは、黒髪をオールバックに固めた、舎弟頭の筑根だった。若頭の飯尾は、コウをこの家に送ったのち、親父のもとへ帰っていった。いまここを仕切る権限は筑根にある。

コウは筑根に声をかけた。「なにも起きてないんだろ？」

筑根が冷やかに一瞥《いちべつ》してきた。会長の息子への礼儀など感じさせない、ぞんざいな口ぶりで筑根が否定した。「なにか起きてる。だから俺たちがここにいる」

ぞっとする寒気を感じ、コウは言葉を呑《の》みこんだ。三人の仲間に醜態を晒《さら》すわけにいかないが、筑根に反論しようにも、本物の凄《すご》みにひとことも告げられない。みっともなさを承知のうえで、コウは黙ってスマホに目を落とすしかなかった。

スマホの画面を眺める。暗視カメラでモノクロになった映像は、ほぼ真っ暗だった。そのなかを縦に白い光が走った。あまりに一瞬すぎて認知が追いつかない。クルマだったように思う。しかし異様なほど速度がでていた。路地をまっすぐ進んでくれば、この屋敷のゲート前に行き着くが、ふつう左右のどちらに折れるにせよ減速するはずだ。

コウがそう思ったとき、いきなり床が突きあげられた。轟音《ごうおん》とともに地震のような縦揺れが襲った。照明が消えたが、すぐにまた点《つ》いた。天井に亀裂《きれつ》が走り、破片がぼろぼろと剝《は》がれ落ちてくる。

階下から複数の怒鳴り声がこだまする。騒々しい物音が激しく反響した。コウは肝を冷やした。室内の全員がこわばった顔つきになる。

階段を駆け上ってくる足音がきこえる。リビングのドアが開け放たれ、構成員のひとりが血相を変え報告した。「小娘だ。クルマで突っこんできやがった」

筑根がリビングにいる構成員らに命じた。「ふたりだけ残れ。あとは下へ行け。小娘ひとりに会長の家を荒らさせんじゃねえ」

構成員らは専用の室内履きで足を覆っていた。刃《やいば》を容易に通さない硬いゴム製で、鉄砲玉による襲撃を迎え打つときに履く。そのため足音がけたたましい。荒くれ男の群れが気合いの発声とともにドアをでて、一気に階段を駆け下りていく。三階にいた連中も一階へ向かったようだ。

ところが喧噪《けんそう》の質がたちどころに変化し、絶叫や呻《うめ》きばかりになった。物音だけはいっそう激しくなる。ときおり女のわめき声も交ざる。なにを喋《しゃべ》っているかはさだかではない。

コウは鳥肌が立つ思いだった。EEの声だ。まちがいない、EEが上ってこようとしている。にわかに信じがたいことだが、立ち塞《ふさ》がる構成員を次々に返り討ちにしているらしい。声も物音もどんどん近くなる。女の声は苦痛の響きを帯びていたが、構成員らのほうはといえば、ほとんどが断末魔の叫びだった。同じ男とおぼしき声は二度と耳にしない。つまり構成員はひとりまたひとりと、確実に葬り去られている。

ふいに静かになった。何者かの足音があがってくる。ゴム製靴とはちがう。土足だがふつうの靴だ。コウがそんなふうに畏怖《いふ》したとき、半開きのドアが大きく蹴《け》り開けられた。

現れたのはたしかに江崎瑛里華、いや有坂紗奈だった。だが予想とは異なるありさまだった。

血まみれでぼろぼろの服をまとった紗奈は、まっすぐに立つのも難しいらしく、ドア枠に寄りかかり肩で息をしている。髪が重く垂れ下がり、顔は傷と痣《あざ》だらけ、片目はろくに開いてもいなかった。裾《すそ》が破れたスカートから露出した太腿《ふともも》は、剝がれかかったガーゼの下に、深々とした切り傷がのぞく。さらに新しい傷が脚のあちこちに刻まれていた。

紗奈がよろめきながら部屋に入ってきた。コウは啞然《あぜん》としたものの、緊張のなかで昂《たか》ぶるものを感じた。小娘はもはや瀕死《ひんし》だ。ここには構成員が三人、コウと仲間が三人。取り囲めばたちまちボコれる。

ミナトもそう思ったのか、悠然と紗奈の前に歩みでた。「あんときの千鶴とかいう死にかけとそっくりじゃねえか。あとは好きなだけいたぶって、ドラム缶に放りこんで焼いちまえば終わりだろ」

なぜか構成員らは距離を置いたまま動いていない。筑根が硬い顔で警告した。「おい、勝手に近づくんじゃねえ!」

コウは軽口を叩《たた》いた。「臆病《おくびよう》がすぎるっスよ、筑根さん」

しかし正しかったのは筑根のほうだった。紗奈はいきなりわめき声を発し、閃光《せんこう》のような手刀と蹴りを連続して繰りだした。凄《すさ》まじい打撃と蹴撃《しゅうげき》だった。ミナトは耳の穴から血を噴いたかと思うと、太い首をヘッドロックされ、巨体ごとねじ伏せられた。片膝《かたひざ》をついた紗奈は、脇の下にミナトの頭を抱えこんでいた。ミナトはじたばたともがいたが、異様なことに紗奈の細い腕から抜けだせない。紗奈は巧みに技を深くかけ、どんなにミナトが暴れようとも、けっしてつかみかかれない体勢をとっている。

紗奈がミナトを抱えこんだまま、瞬時に大きく伸び上がった。とたんに大木の幹が折れるような音が響き、ミナトの首はありえないほどの角度まで湾曲した。さらに力ずくで捻《ね》じられたうえ、床に投げだされた。

仰向《あおむ》けに倒れたミナトは、口から舌がだらりと垂れ下がり、泡を噴いていた。あきらかに絶命している。目を剝《む》いたままだったが、黒目の位置が左右それぞれにちがっていた。

コウは途方もない恐怖にすくみあがった。この女のどこに、これほどの体力が残っていたというのだろう。人殺しにもなんのためらいもない。ユーチューバーのEEとはこんな女だったのか。

構成員ふたりがドスを抜き、同時に前後から襲いかかった。猛然と振られる二本の刃に対し、紗奈はすさまじい速度で身を翻し、演舞のようなフットワークで躱《かわ》した。

片腕で敵の手首をブロックし、蹴りで距離を遠ざけては、もうひとりの敵の突きを回避する。防御と反撃の手数が過剰なほど多かった。変幻自在な体術を無限に、しかもハイスピードで繰りだす。まるで早送りの映像を観るかのような凄絶《せいぜつ》さだった。紗奈は何度となく斬りつけられ、そのたび血飛沫《ちしぶき》があがったが、かえって狂暴さに拍車がかかったように見える。

夜叉《やしゃ》のように表情を変貌《へんぼう》させた紗奈が、いっそうすばやく力強い攻撃を繰りだし、ひとりを圧倒しだした。もうひとりが背中を斬りつけようと、まったくかまいもしない。ついに構成員の防御が鈍りがちになった瞬間、紗奈は腕に絡みつき、手首を強烈に捻った。叫びを発した構成員の手からドスをもぎとった。紗奈は身体を反転させつつ、敵の喉《のど》もとを掻《か》き切った。男は首から血を噴き、激しく痙攣《けいれん》しつつ、ばたんと床に突っ伏した。

もうひとりの構成員とはすかさずドスの打ち合いになった。刃と刃がぶつかり火花を散らし、ときおり踏みこんでは互いに身体を斬りつけあう。紗奈と構成員のどちらも深手を負ったように見えた。著しく消耗するふたりの距離が詰まっていき、とうとう衝突するや組み合った。構成員が柔道の投げ技で紗奈を床に叩きつけた。だが紗奈は即座に身体を丸め、反動を利用し跳ね起きるように立ちあがった。その動作を予期していなかった構成員は、約一秒間にわたり防御ががら空きだった。紗奈は敵の胸部にドスを突き立てた。

うっ、と構成員が呻き声をあげ、その場にくずおれた。紗奈も折り重なるように倒れた。

ふいに静かになった。紗奈は俯《うつぶ》せのまま動かない。とうとう力尽きたのかもしれない。

ムクロが歩み寄った。紗奈の近くに立ち、蹴りを浴びせる。紗奈は脱力しきっていた。何度となくローキックを食らわせても無反応だった。

鼻を鳴らしたムクロが、足で紗奈を仰向けにした。両目を閉じた紗奈が、ぐったりと両手両足を投げだしている。血みどろだが胸もとがはだけかかっていた。

しばしムクロは紗奈を見下ろしていたが、やがてポケットからなにかをとりだした。ガムだった。銀紙を剝がし、ガムを口に含む。くちゃくちゃと嚙《か》みだした。ムクロはヒョウ柄のコートを脱ぎ、上半身裸になった。

バジルが甲高い声を発し、はしゃぐように駆け寄った。ムクロの次に紗奈を犯そうというのだろう。

コウは一歩も近づく気になれなかった。筑根が動かず警戒しつづけているからだ。

経験豊かな舎弟頭が距離を詰めない。けっして油断などできない。

ムクロは紗奈の上に四つん這《ば》いになり、覆いかぶさろうとしている。コウの仲間内でも、飛び抜けて異常な性格の持ち主だが、こんなときにも性欲が生じるとはどうかしている。

「やっちまえ」バジルが囃《はや》し立てた。「あんときの女みたく絶頂を味わわせてやろうぜ」

ところが紗奈の右腕がバネのように跳ねあがり、二本指がムクロの両目に突き刺さった。ムクロの叫びと同じ声を、コウもバジルも発していた。眼球はふたつとも破裂したらしく、血まみれになったムクロの顔に、その残骸《ざんがい》が飛び散っていた。

仰向けの紗奈は左右のこぶしを猛烈な勢いで繰りだし、ムクロを滅多打ちにした。抵抗する力もなくなったムクロは、宙に浮いては紗奈の上に落ちてきて、そのたびこぶしを数十発浴びる。最後に紗奈がひと蹴りすると、ムクロは人形のように飛び、壁にぶつかり崩れ落ちた。失われた眼球の代わりに、ふたつの大きな窪《くぼ》みだけが残っていた。

「こ」バジルが紗奈を踏みつけようとした。「このアマ!」

だが紗奈はその足を片手で受け止めると、もう一方のこぶしを垂直に突きあげた。

いっさいの手加減のない金的攻撃が、バジルの股間《こかん》に深々とめりこんだ。内臓のすべてが飛びあがったかのように、バジルは血液や胃液が混ざったとおぼしき、濁った液体を口からぶちまけた。紗奈は跳ね起きるや、右の長い三本指をバジルの喉もとに突き刺した。頸椎《けいつい》が破断したかのように、バジルの頭は逆さまになって背中に垂れ、そのままへたりこむように床に沈んだ。

筑根が怒鳴り声を発しながら紗奈に駆け寄る。紗奈も迅速に身を翻した。だが両者の激突を見るのをまたず、コウはドアへと突進した。

廊下から階段にかけ、おびただしい数の死体が横たわる。邸内はすっかり血塗られていた。コウは転げ落ちるように階段を駆け下りていった。クルマだ。逃げねばならない。

親父は本部ビルにはいない。息子には格好つけていたが、海岸沿いのめだたない別荘に潜んでいるのを、コウは知っていた。誰にも住所が明かされていない秘密の隠れ家。安全な場所はそこしかない。

27

紗奈はドスを逆手に握りしめ、筑根と呼ばれた男に突進していった。だが刃《やいば》が達するより早く、筑根のこぶしが紗奈の頰を強く殴りつけた。リーチが途方もなく長い。紗奈は一発で吹き飛ばされ、床に転がった。痺《しび》れる手からドスが投げだされた。倒れた紗奈は床を這《は》い、必死にドスに近づこうとした。すぐさま筑根が駆け寄り、ふくらはぎを強く踏みつけた。そこに深い切り傷ができていたことを、紗奈は激痛とともに知った。

筑根は体重をかけ、さらにふくらはぎを踏みにじってきた。紗奈はあまりの痛みにのけぞったものの、身をよじることさえ不可能だった。もう一方の足で蹴《け》ろうにも力が入らない。

「痛いか」筑根はいったん足を浮かすと、靴の爪先《つまさき》で傷口を抉《えぐ》ってきた。「うちの連中をずいぶん大勢殺しやがったな。てめえみたいなクソ娘、八つ裂きにしても飽き足らねえ」

想像を絶する苦痛のなかでも意識はかろうじて保ちつづけている。とはいえ全身が麻痺《まひ》状態に陥りつつあった。感覚の喪失が脚ばかりか腕にまでひろがりだした。手まで動かなくなれば、もう死んだも同然だった。

だが絶望にはほど遠い。どんな場合にも執念の炎が燃えたぎり、けっして消えることはない。ジョアキム・カランブーの法則を思いだすまでもない。心の死こそ肉体の死だ。

わずかに顔をあげたとき、近くのキャビネットが目に入った。いちばん下の引き出しには手を伸ばせば届く。把《と》っ手をひっぱり、引き出しを完全にひきずりだした。工具箱が見えた。異変を察した筑根が、まず紗奈のふくらはぎを強く踏みにじった。紗奈は悲鳴を発しつつも、がむしゃらに手をとめなかった。それを見た筑根が飛びかかってくる。紗奈の手もとから工具箱を引き離そうとする。

しかし紗奈は一瞬早く工具箱を開け、なかの金槌《かなづち》をつかみだした。仰向《あおむ》けに転がると、ちょうど接近してきた筑根のこめかみを、紗奈は力いっぱい強打した。頭骨が陥没する手応《てごた》えを感じた。筑根は絶叫し、手でこめかみを押さえながら転がった。紗奈は身体を起きあがらせると、筑根に上から襲いかかった。仰向けになった筑根が、金槌の振り下ろされる寸前、紗奈の手首をつかみ阻んだ。力が拮抗《きっこう》するうえ、筑根の握力に紗奈の指先が緩み、金槌を落としそうになった。

だが紗奈は金槌を自分の右手から左手へと投げ移した。はっとした筑根の鼻っ柱を金槌で殴りつけた。鼻血が噴きあがっても何度となく、力いっぱい打ちつける。筑根は激痛に悶《もだ》え苦しんでいたが、最後の力を振りしぼったかのように、紗奈の喉《のど》もとを絞めあげてきた。息ができなくなったものの、紗奈は金槌を繰りかえし振り下ろした。筑根の頭部を力ずくで砕いていく。

人間がただの物体と化していくのを紗奈はまのあたりにした。筑根の手が紗奈の喉もとから離れ、力なく床に投げだされた。筑根の顔は変形し、割れた頭蓋骨《ずがいこつ》から脳髄が流れだしていた。

紗奈は金槌の柄をスカートベルトに捻《ね》じこんだ。筑根の死体から飛び退くと、壁際で尻餅《しりもち》をついた。息が切れている。てのひらを握ったり開いたりしたが、なかなか感覚が戻らない。麻痺している場合ではない。まだコウを仕留めていない。落ちていたドスを拾った。指が動くようになったとわかる。

エンジン音がきこえた。紗奈は苦痛に耐えつつ、壁ぎわの小さな上げ下げ窓の枠をつかむと、なんとか身体を引き起こした。

窓の外をのぞいた。眼下にクルマが見える。車種はわからないがSUVだった。ヘッドライトが灯《とも》り、光線に小雨が浮かびあがる。いまにも発進しようとしている。コウにちがいない。ほかの奴らはもう皆殺しにした。

紗奈は上げ下げ窓を開けにかかった。下の戸を斜め前方に引いたうえで、真上にスライドさせる。窓が開くと紗奈はこぶしで網戸を突き破った。狭い開口部だが、細身の紗奈ならぎりぎり通れる。

わずかに下がり、助走をつけたうえで、紗奈は頭から開口部に飛びこんだ。真下にあるクルマへと落下する。腹打ちのように車体の屋根に叩《たた》きつけられるのと、クルマが発進したのはほぼ同時だった。しかもコウは屋根の衝撃に戦慄《せんりつ》したらしく、アクセルを強く踏んだうえ、ハンドルを左右に激しく振ったにちがいない。急発進した車体が蛇行しながら突っ走る。紗奈は屋根の縁《へり》を両手でつかみ、死にものぐるいでしがみついた。強烈な風圧が身体を浮かそうとする。片方の頰を屋根にしっかりと押しつけ、紗奈は歯を食いしばった。

クルマは坂道を猛然と下っていく。住宅街を抜け、畑のなかに家屋が点在するだけになった。コウは紗奈を振り落とすよりも、どこかへ到達するのを急ぎだしたようだ。クルマの蛇行がおさまり、ひたすら加速するばかりになった。

潮のかおりが鼻をついた。行く手に眩《まばゆ》い光が一定の間隔を置き点滅する。サーチライトが辺りを照らしている。灯台だ。この先は海か。

コウが頼ろうとするのがなんであれ、そこへ行かせるわけにはいかない。紗奈は屋根を前方へと這っていこうとした。だが片時も手を放せる状況になかった。落ち着けと自分にいいきかせた。紗奈は顎《あご》で屋根を叩いた。音が車内に伝わるよう、さらに勢いをつけ、繰りかえし打ちつけた。まだ屋根に乗っているのを知れば、コウはもういちど振り落とそうとする。加速で振り落とせなかった以上、次にうったえる手段はひとつしかない。

甲高い音とともにブレーキがかかった。紗奈の身体は慣性により前方へ飛びだした。だがそれは思惑どおりだった。引き抜いた金槌を力いっぱい振り下ろし、釘抜《くぎぬ》き側をフロントガラスに叩きつける。割れたガラスが蜘蛛《くも》の巣状になり、釘抜き部分がめりこんだ。ボンネットに投げだされた紗奈は、ガラスにひっかかった金槌の柄を両手でつかみ、かろうじて前方への転落をまぬがれた。そのまま身体を捻《ひね》り、フロントガラスのほうを向く。両膝《りょうひざ》を曲げてから、左右の足で同時にキックを食らわせ、フロントガラスをぶち破りながら車内へ飛びこんだ。

靴の裏がコウの顔面に命中したのがわかった。紗奈は助手席に倒れこんだ。コウは必死に運転しながら、紗奈の頭髪をわしづかみにした。だが紗奈は金槌でコウの身体を殴りつけた。コウが叫び声をあげ、手をひっこめてもなお、紗奈は金槌で殴打しつづけた。

　コウはハンドルから手を放していた。アクセルを踏みっぱなしにしているのを、コウは自覚できていないらしい。速度はあがる一方だった。道の行く手には、やたら大きな邸宅があった。辺りは雑木林ばかりだ。クルマが塀を突き破り、邸宅の敷地に進入した。庭先でスーツの男たちが慌てたように飛び退いた。この時間に一般人はスーツ姿で庭にたむろしない。ここは哭啾会の別邸か。

　クルマは庭を突っ切り、また塀を破壊し突破した。その先は大小の岩ばかりの下り斜面だった。激しい縦揺れのなか、車体が凄《すさ》まじい速度で下っていく。行く手には剝《む》きだしの泥濘《ぬかるみ》がひろがっていた。

　雨のせいで柔らかくなっていたにちがいない。クルマは鼻先を地面に突っこませ、斜め下を向いた状態で停まった。衝撃にエアバッグがいっせいに開いた。

　意識が遠のきかけていたが、紗奈は頭を振り、無理やり覚醒《かくせい》させた。車体が変形し、サイドもリアもガラスが割れ、ドアは外れかかっていた。運転席で血だらけのコウがもぞもぞと動く。紗奈はコウを突き飛ばした。コウの巨体は車外へ転がり落ちた。

　激痛を堪《こら》えながら紗奈は同じ方向へ這いだした。冷たい雨が降りつけるのをようやく認識する。なにやら男たちの怒号がきこえる。紗奈は泥濘にひざまずいた。泥のなかに頭を突っこんだコウの、襟の後ろをつかみ起きあがらせる。片腕をコウの首筋に絡めた。

「まて!」男の声が呼びかけた。

紗奈は顔をあげた。スーツの群れが囲んでいる。さっきの邸宅から繰りだしてきたらしい。ドスや日本刀を手にする者も多かった。

集団の真んなかに白髪頭の男が立っていた。無数の皺《しわ》を刻んだ顔は、目鼻立ちがコウに似ている。父親だろう。スーツの上から防弾防刃ベストを着ている。かなり重量があるせいか、隣の男が両手で身体を支えていた。

白髪頭が声を張った。「有坂紗奈。息子を放せ」

コウは紗奈の脇の下で、ほぼぐったりとし、荒い息遣いだけを響かせている。その血まみれの顔を見下ろしてから、紗奈はふたたび前方に向き直った。

「誰」紗奈はきいた。

「哭啾会会長の館ケ沢だ。こいつは若頭の飯尾。逃げられやせん」

スーツの男たちが包囲網を狭めてきた。総勢三十人ぐらいか。さっきの屋敷にはもっと大勢いた。あとの連中は本部ビルか、もしくは集まらなかったか。非番まで会長につきあう義理堅い奴らは、そんなにいないのかもしれない。

サイレンがきこえてきた。スーツらが一様に動揺をしめした。パトカー一台や二台の音ではない。数十台がこちらへ向かってきている。

館ヶ沢が慌てたように怒鳴った。「息子を解放しろ！」

紗奈は抱えこんだコウの顔を一瞥《いちべつ》した。ふっと鼻を鳴らす。躊躇《ちゅうちょ》する理由がどこにある。紗奈は右手の金槌《かなづち》を振りあげると、血まみれのコウの脳天に、容赦なく叩きつけた。

どよめきが起きるなか、紗奈は満身の力をこめ、何度となくコウの頭部を金槌で連打した。頭蓋骨を粉砕する勢いだった。すでに絶命しているのがあきらかでも、さらに釘抜きで脳を抉《えぐ》った。

「やめろ！」館ヶ沢が血相を変え、紗奈のもとに駆け寄ってきた。

若頭の飯尾にとっては不測の事態だったらしい。動転したようすで館ヶ沢を追いかけてくる。館ヶ沢を支える役目を負っていたせいか、飯尾は凶器も持たず素手だった。ふたりとの距離がみるみるうちに縮まった。

その機を逃す紗奈ではなかった。コウの死体を放りだすや、紗奈は一気に突進した。館ヶ沢の白髪頭に金槌を振り下ろし、釘抜きを頭蓋骨にめりこませた。もう一方の手で引き抜いたドスを、飯尾の胸に深々と突き立てる。

一瞬の静寂がひろがった。飯尾は信じられないといいたげに目を剝き、泥のなかに仰向《あおむ》けに倒れた。館ヶ沢のほうも脱力したものの、頭に開いた穴に釘抜きがひっかかり、金槌からぶら下がっている。紗奈は梃子《てこ》の力を利用し、釘を抜くときの要領で頭《ず》蓋骨《がいこつ》を割り、骨片の大きな塊を引き剝《は》がした。館ヶ沢はばったりと突っ伏した。

紗奈は周りを眺め渡した。スーツの群れが衝撃を受けているのがわかる。にわかに殺気立ち始めた。もうサイレンが近くでけたたましいほど鳴り響いている。パトカーが大挙して押し寄せてくる。復讐《ふくしゅう》の機会は残すところわずかしかない、構成員どもはそう思っているだろう。むろん紗奈にとっても同じだった。

「ゴミは」紗奈はつぶやいた。「土に還《かえ》ってよ」

構成員らが雄叫《おたけ》びとともに襲いかかってきた。距離が縮まるまで待つ紗奈ではなかった。みずから金槌を振りあげ突進していった。

ここは横浜市金沢区、八景島《はっけいじま》シーパラダイスの近く。小三のころ両親とともに、潮干狩りに来た海岸がある。思い出がぼんやりと脳裏をよぎった。アサリを掘るたび母は微笑し、父は褒めてくれた。三人で手をつないで、夕陽の海岸をあとにした。こんな幸せがずっとつづいてほしい、九歳の紗奈は心からそう願った。

28

櫻木は思った。交番勤務から経験を積み、署に自分を売りこんで刑事に採用された。二十六歳だった。それからもう二十年近くが経つ。あらゆる現場を見てきた。だがこんな凄惨《せいさん》な地獄絵図はかつてなかった。

応援のパトカーは後方に待機させてある。佐竹とふたりきりで先行した。すでに辺りを静寂が包んでいるからだ。

暗闇のなか一定の時間を置き、サーチライトの光が走る。そのたび雨脚が白く浮かびあがる。たたずんでいるだけで、いつしかずぶ濡《ぬ》れになっていた。隣に立つ佐竹も身を震わせている。吐息が白く染まった。体温を奪うような寒さは、冬のせいだけではない。目に映るすべてがそう感じさせる。

サーチライトの光は、泥のなかにひろがる水たまりの赤いろを、一瞬ながら鮮明に浮かびあがらせる。累々と横たわる死体はどれも原形を留《とど》めていない。深く腸《はらわた》を抉られていながらも、腕や脚がつながっていれば、まだましなほうといえる。切断された部分遺体が泥のいたるところに埋もれていた。櫻木の足もとにも片方の耳だけが落ちている。泥水のなかを漂う眼球は、ここに到着して以降、もういくつも見つけた。

少し高くなった岩場に人影が立っている。奇妙に身体を歪《ゆが》めていた。サーチライトに照らされたのは、無残としかいいようがないぼろぼろの姿だった。

遠藤恵令奈の顔は血だらけだった。返り血もあるだろうが、みずから流血したぶんと混ざりあっている。鼻血の痕《あと》は当たり前のようにふたすじ、褐色に固まり口の上にこびりついていた。片方の瞼《まぶた》が大きく腫《は》れ、頬や顎《あご》は痣《あざ》で黒ずんでいる。服は破れ、肩から腕にかけ露出した肌に、ざっくりと大きな切り傷がみられる。全身血まみれで傷だらけだった。致命傷になりうる深手もいくつか見てとれる。それらの傷口から、おびただしい量の出血があったことが、あちこち裂けた服の変色ぐあいに表れていた。

恵令奈は重心を片方の脚に乗せ、かろうじて直立の姿勢を維持している。顔は血の気が引き、目もうつろだった。肩で息をしているのがわかる。雨水を含んだ髪の重さが増すだけで、いまにも倒れこんでしまいそうだ。

両腕は赤ペンキのバケツに突っこんだかのごとく、血のいろがべっとりと付着していた。指の一本ずつに絡みつくのは、殺した相手の肉片か。猛獣が獲物を食い散らかしたあとの牙《きば》のようだ。

遠藤恵令奈。そんな名はもう記号にすぎなかった。捜査本部はようやく詳細な情報を得た。徳島生まれの遠藤恵令奈の、幼少期の医療記録からわかる身体的特徴は、いま目の前にいる女と合致しない。恵令奈が現場に残した指紋とDNA型は、川崎署が扱った過去の事件の被害者と一致した。

櫻木は声をかけた。「有坂紗奈さんだな」

沈黙があった。雨脚が強まっている。泥水に降雨が跳ねる音が耳に届く。女の虚《うつ》ろなまなざしが櫻木をとらえた。ざらついた声で女がささやいた。「紗奈は死んだ」

「そこにいろ」櫻木はいった。「いま助ける。救急車も呼ぶ」

「助けるって」紗奈の唇は紫のいろを濃くしていた。「誰を？」

「……きみをだよ」

「見殺しにしたのに？　わたしも、お母さんも、お父さんも」

思わず言葉を失う。見殺し。おそらく警察がなにもしてくれなかった、そういう意味だろう。暴力団がバックについている不良グループが一家を惨殺した。その後も暴力団がのさばりつづけた。衡田組が消えてもベトナム系の反社が進出してきている。刑法を著しく侵害しないかぎり、反社組織とわかっていても、警察はなかなか手だしてきない。釜泉のような背信行為に及ぶ裏切り者もでてくる。ろくでもない連中がヒエラルキーを形成する街は、裏社会を牛耳る支配者を失ったとき、また新たな権力を必要とする。まとめる勢力がいなければカオスと化してしまう。だから警察はあていど見て見ぬふりをする。捜査に費やせる人員も経費も足りない。いつも限界がある。

しかしその限界ゆえに命を落とした被害者に対し、警察はどうあるべきなのだろう。詫《わ》びを口にしたところで被害者は報われるのか。刑事なら常々抱く疑問だ。

いま櫻木は恐ろしいことに、その機会に直面してしまった。目の前にいる有坂紗奈は、暴行され殺害された本物の犠牲者だ。無念の死を遂げた張本人だ。どう声をかけるべきだろうか。そもそも凶悪犯罪を防げなかった警察官は、犠牲者と面と向かえる立場にあるのか。

それでも有坂紗奈はいまや加害者だ。しかも大量殺人犯だ。警察官であっても過去を悔い、世の不条理を嘆き、申しわけなさに頭《こうべ》を垂れてばかりはいられない。

佐竹も同じ思いなのだろう。震える声を絞りだすように佐竹がいった。「有坂さん、病院へ行こう。治療を受けてほしい。そのうえで話をきくから」

紗奈は無表情のままだった。「なんの話を?」

「それは……。見ればわかるだろ、この惨状だ。きみはここにいた。警察は事情をきかなきゃいけない」

「死人は逮捕できない」

遠雷がきこえる。地鳴りに似た重低音となり厳かに響き渡る。先んじて稲光は見えなかった。まだかなり距離があるのか。サーチライトの照射に紛れたのかもしれない。

櫻木はただ雨に打たれていた。最高裁判決により明文化された定義がある。〝死亡届が受理された者について、裁判所は逮捕状を発付しない〟。

失踪《しっそう》宣告による死亡との判断なら、どこかで生きていたとわかった時点で、それまでの司法判断も覆る。だが殺人事件における死亡届というのは、医師による死体検案書に基づいている。被害者の死が確定している。だから逮捕はありえず、逮捕状もけっして発付されない。

法にしたがえば警察は有坂紗奈を逮捕できない。紗奈は死者だ。死亡届の撤回など前例がない。先に医師が虚偽診断書等作成罪に問われ、その裁判の判決をまってからでなければ立証できない。だが医師ひとりの責任では終わらない。あのとき捜査関係者から検察、報道陣、世論に至るまで、誰もが犯人への懲罰を切望した。それゆえどうあっても立件すべきとの追い風が吹いていた。法の取り決めのため、捜査が阻まれてはなるまいと、みな声高に主張した。死体検案書における多少の拡大解釈や曖昧《あいまい》さは、より大きな正義のため、曲げてもいいと考えられていた。それが本当の正義だと警察も信じて疑わなかった。

しかし死亡届が受理された有坂紗奈は、じつは生きていた。しかも彼女の容疑はすべて死後の犯行だった。紗奈は殺されてから人殺しになった。復讐は果てることがない。直接殺害に加わったメンバーのみならず、関連するあらゆる人員を、片っ端から血祭りにあげていった。

櫻木は紗奈に告げた。「タワマンのロビーには、きみの血も汗も指紋も残ってる。一介の住人としてではなく、殺人犯として」

紗奈は瞬《まばた》きひとつしなかった。「だから？」

〝生前〟の紗奈は、友達想いのやさしい女子高生だった。そんな証言が多々ある。紗奈がみずから望んで人を殺したとは考えにくい。両手を血で染めるうち、いつしか歯止めがかからなくなったのか。

殺人の現場で、紗奈の指紋やDNA型が検出されただけでは、ただちに状況を覆せない。司法判断をひっくりかえす、最も速く確実な方法はひとつだけだ。紗奈の身柄を確保し、医療検査で身体の隅々まで調べる。指紋やDNA型が一致した時点で、有坂紗奈の生存は動かぬ事実となる。

それしかないと櫻木は思った。「有坂さん。きみという存在自体が証拠だ。きみの経験してきた苦しみも、ご両親の無念を晴らすのも、世の欠陥や不備を問うことで初めて可能になる。真実を明かすのがその第一歩だ」

紗奈はなんともいえないもの悲しい顔になった。ささやきのような声を紗奈は漏らした。「千鶴の苦しみは？　ほかにも大勢……」

サーチライトの光が走った。一瞬の眩《まばゆ》さののち、状況の変化を悟るまで、櫻木は数秒を要した。光が去り、視野が暗がりに沈んだとき、もう紗奈の人影はなかった。

佐竹がはっと息を呑《の》むのがきこえた。櫻木も佐竹と顔を見合わせた。ふたりは同時に駆けだした。泥に足を滑らせそうになり、ヤクザどもの死体に蹴躓《けっまず》いた。何度か転倒しかける。それでも躊躇《ちゅうちょ》してはいられない。櫻木は死にものぐるいで駆けていった。

佐竹が先に岩場を登った。さっきまで紗奈が立っていた頂に到達した佐竹が、茫然《ぼうぜん》と櫻木を振りかえった。

櫻木も岩場を登りきった。向こうには断崖《だんがい》と呼ぶにふさわしい絶壁があった。眼下に白い波飛沫《なみしぶき》が見える。一帯は黒々とした海原だった。

「き」佐竹が泡を食う反応をしめした。「緊急手配を……」

いまはもうなにもかも虚《むな》しくきこえる。櫻木は近くの岩に腰かけた。「無駄だよ」

「……どういうことですか」

考えるまでもない。幽霊のように消え失《う》せた。いや、消え失せたがゆえ幽霊になった。行方をくらましてしまった以上、有坂紗奈は死亡届が受理済みの故人だ。逮捕状の請求も指名手配もおこなえない。

では遠藤恵令奈を指名手配するのか。それも無意味だ。別人の戸籍。おそらく本物の遠藤恵令奈ももう死んでいる。

マスコミに疑惑を報じさせるため、警察がほのめかすことだけは可能だろう。噂が広まれば、少なくとも紗奈が人目に触れるのは難しくなる。だが奇異な都市伝説のひとつと化すだけだ。紗奈がまた顔を変えてしまったら永久に雲隠れだ。なにより警察は前代未聞の不祥事を認められない。死亡届がでている。みずからひっくりかえせない。真実を追う権限すらない。

「なあ佐竹」櫻木はつぶやいた。「こんなことを刑事がいうもんじゃないのかもしれないが……。俺たちは幽霊を見たんだよ」

佐竹が抗議しかけたが、困惑のいろとともに言葉を呑みこんだ。ためらいがちに佐竹が小声で問いかけてきた。「ここで死んでる奴らは……。幽霊に祟《たた》られたとか？」

「かもな」櫻木は深く長いため息をついた。吸いこんだ雨水に軽くむせそうになる。

紗奈は崖《がけ》から身を投げたのだろうか。想像もつかない。いまはまだ突き詰めて考えたくもない。冷えきった微風のなかで櫻木はいった。「幽霊がまだ成仏できていないのなら、俺たち警察が変わっていくしかないよな……。悲劇にどこかで思考停止し、まともに向きあわず、目を背けてきた俺たちこそが」

29

川崎市立懸野《かけの》高校二年A組、植村和真《うえむらかずま》は河川敷の斜面に腰掛けていた。筆をとり、画板に挟んだ画用紙に水彩で、記憶に残る肖像を描く。

寒空の下、多摩川見晴らし公園で遊ぶ子供の姿は、やはり極端に数を減らしている。芝生全体が枯れ草いろだ。辺りはなんとなくもの寂しい。幅の広い川面《かわも》が緩やかに流れるさまも、きょうばかりは優雅さを感じられない。

視界の端に人影をとらえた。懸野高校の女子生徒の制服が歩いてくる。女子生徒は近くに立ち、植村の画用紙を見下ろした。

ショートボブに丸顔の中澤陽葵《なかざわひまり》が静かにいった。「また江崎瑛里華さん描いてる。

でもだんだん……」

陽葵は隣に座った。植村は苦笑した。クラスメイトの指摘に笑ったのではない。自分の心がおかしかった。以前ここに座っていたとき、江崎瑛里華が現れた。あの再現をどこか期待していた。現れるはずのない瑛里華に会いたがっていた。

植村はため息をついた。「いいたいことはわかるよ。描くたび有坂さんの成分が混ざってきてる。いまはもう半々ぐらいかな」

「記憶を頼りに描いてるから、しょうがないよね」

そう。ただし思いだせなくなっているのとはちがう。江崎瑛里華に会ったときの印象が、自然と筆に反映されている。彼女の心に触れた気がした。あの心は有坂紗奈だった。彼女も否定しなかった。

陽葵も同じ経験をしたと語ってくれたことがある。いまも陽葵はさらりとつぶやいた。「あれは紗奈だよね」

「うん。なにがあったか知らないけど」

こんなやりとりを交わせただけで、ほのかな安堵《あんど》がある。ほかの誰とも共有できない感覚だ。ふたりとも生前の紗奈と親友だったせいかもしれない。どちらも瑛里華のなかに紗奈を見ていた。

川面を眺めながら陽葵がささやきを漏らした。「もう会えないのかな」

「わからない。でもきっと難しいだろうね……」

港町駅前のタワマンのロビーで、汚職の疑いのある刑事を殺害した十代の女性。それが人気ユーチューバーのＥＥだとみられる。そんな報道を目にするより早く、この界隈《かいわい》ではすでに噂になっていた。事件をまのあたりにしたマンション住人も少なくないらしい。

ニュースでは動画も紹介されていた。顔にはモザイクがかかっていて、名も伏せられていたものの、あれは江崎瑛里華にちがいない。ただし比較しようにも、ＥＥの動画チャンネルはとっくに消えている。

警察からはその後なんの発表もない。ＥＥのファンたちは断固否定しようと、江崎瑛里華の身元を特定するため、ネット上でさまざまな意見を交換した。ところがなにひとつ進展しなかった。本名が異なっていようとも、誰かしら素顔の彼女を知る者がいるはずだが、そんな声ひとつあがらない。

江崎瑛里華なる人物は実在しない。それが唯一の結論に思える。

植村は思いのままを言葉にした。「有坂さんの生きかえりが、江崎さんだったのかな」

「だと思う」陽葵が神妙に応じた。「あれはたしかに紗奈だったもん」

「いなくなったのは、成仏したっていうか、昇天したといえばいいのか、とにかく……」

さまよえる霊魂ではなくなった。そう思いたかった。それ以外に説明がつかない。世のなかを深く知れば、見えてくることもあるのかもしれない。いまはまだ無理だった。一介の高校生の理解力には限界がある。そこに留《とど》めておきたい気もする。

警察が横浜や川崎の暴力団排除に本腰をいれだした、そんなニュースを観た。有坂紗奈が未練を遺《のこ》したまま死んだのだとすれば、江崎瑛里華として役割を果たし、ようやく眠りについたのだろう。そう信じたい。

陽葵が膝《ひざ》を抱えた。「K‐POPをきくたび、江崎さんのことを思いだすの。紗奈のことも」

植村は自分の描いた江崎瑛里華像を眺めた。わずかに見方を変えるだけで、有坂紗奈像にしか思えなくなる。そのやさしく思慮に満ちた穏やかな顔を、植村は指先でそっと撫《な》でた。

「死んでないよ」植村は静かにいった。「いまでも僕らと一緒にいる。この先もずっと」

解説

西《にし》上《がみ》心《しん》太《た》（書評家）

〈ゴミは……土に還《かえ》ってよ〉

凄絶《せいぜつ》で過剰な暴力に彩られた、ヴァイオレンス・アクション。それがこのＪＫシリーズである。だがいかなる敵にも立ち向かい、勝利をおさめる彼女の心の裡《うら》には、深い悲しみが宿っているように思えてならない。

主人公は女子高校生。タイトルの「ＪＫ」は、彼女が信奉するジョアキム・カランブー（Joachim Karembeu）なる人物の頭文字から取ったようだが、もちろん〈女子高生〉を意味する日本のネットスラングもほのめかしているのだろう。

＊注意！　本文より先に解説を見る方も多いと思うが、本文およびこの解説には、これまでの二作品の真相に触れている箇所があるので、できれば第一作『ＪＫ』、第

二作『JKⅡ』をお読みになってから、この先に進んでいただきたい。

有坂紗奈《ありさかさな》は川崎《かわさき》市の公立校に通う十六歳の高校一年生。吹奏楽部とダンスサークルに所属している、活発で正義感の強い性格の持ち主だ。成績も優秀で、特にK‐POPグループのダンスに熱中している。共働きだった母親が体調を崩して退職。家計を助けるために、介護施設とコンビニでアルバイトを掛け持ちするヤングケアラーでもある。ところが同じ学校の不良グループが集まる工場跡地の近くを両親と通りかかったところ、因縁を付けられた末に襲われる。狂犬同様の集団による暴力はエスカレートし、両親は惨殺され紗奈は次々と不良たちにレイプされ、彼らから尻拭《しりぬぐ》いを頼まれたヤクザは、三人を逗子《ずし》の山林に運び、虫の息だった紗奈もろとも車ごと燃やしてしまうのだ。

警察は決定的な証拠をつかめず、不良グループは野放しのままだった。だがしばらくして江崎瑛里華《えざきえりか》という高校一年生の少女が不良グループの前に現れる（『JK』）。江崎瑛里華はK‐POPダンスの映像を次々とユーチューブにアップし、多くのファンをつかみ収入を得ていた。多摩《たま》川の河川敷で撮影していた瑛里華に、紗奈一家を殺した不良グループと繋《つな》がる衡田《ひらた》組のヤクザが襲いかかる。返り討ちにした瑛里華は、ヤクザの持ち物の中にあったメモに注目する（『ＪＫ　Ⅱ』）。

死者となった紗奈と入れ替わるように登場した瑛里華が、紗奈一家を殺した不良グループと、死体遺棄に関わったヤクザたちを始末する『ＪＫ』。麻薬取引に失敗したヤクザたちが制服警官を殺した末、多くの人質と供に渋谷109に立て籠《こ》もる。二つの組織のヤクザたちに、人質の中に紛れ込んでいた瑛里華が対《たい》峙《じ》する『ＪＫ　Ⅱ』。これが本作までの流れである。

これまでの二作には、あっと驚くミステリー的な仕掛けがあった。『ＪＫ』のそれは紗奈の死と、瑛里華が誕生するまでの経緯である。瑛里華は大の男であろうとも、その人体を破壊する凄《すさ》まじい体技を会得しており、殺戮《さつりく》をくり返しても決してぶれない精神力を有している。いかにして紗奈に代わり、瑛里華というターミネーターのような女性が登場したのか。その謎が物語の終盤近くになって明かされるのだ。そう、瑛里華は変身を遂げた紗奈だったのだ。

ええっ！　そうだったのかよ！

と、嘘ではなく心底驚いたことをここに告白しておく。紗奈＝瑛里華が体技と精神力を培ったのは、沖縄にある冨米野《ふめの》島という島で過ごした日々であった。そこで何が起きたのか、その過程も詳細に描かれている。そのため十六歳の女性がなぜこんなに強いのか、という疑問を払拭《ふっしょく》できる小説内リアリティが担保されている。『ＪＫⅡ』では、犯罪現場の遺留物をめぐる問題が浮上する。『ＪＫ』では大雨の中での襲撃だったため、遺留物がすべて流れてしまっていた。だが渋谷１０９では人質の安全を考えながら、拳銃《けんじゅう》や刃物を持った多数のヤクザとの闘いを強いられたため、指紋やＤＮＡを残さずに行動することは不可能だったのだ。紗奈は冨米野島での戦利品によって、現在は十九歳の遠藤恵令奈《えんどうえれな》という人物に成り代わっていた。瑛里華は紗奈ではないかと疑う刑事が遠藤恵令奈名義で借りているマンションに現れ、ＤＮＡ採取を要求するのだ。だがそのデータが紗奈のデータとまったく違っていることが、警察の鑑識だけでなく、第三者の専門機関によっても証明される。

その真相がわかった時、再び同じ言葉を叫んでしまった。その伏線もきちんと張られていたではないか！

紗奈の側には、もぐりの医師によって同じ顔に整形された飯島千鶴《いいじまちづる》という、十五歳の少女がいたのだ。紗奈の身代わりになって千鶴が検体を提供したため、１０９でヤクザを殺した人物が紗奈ではないこと、さらに遠藤恵令奈にアリバイがあることが証明されたのだ。

だが千鶴は紗奈にとって弱い鎖となってしまう。それが本書のストーリーを動かしていく。

紗奈は千鶴に遠藤恵令奈の身分と住まいを譲り、新たな身分となって大阪に移り住む。だが千鶴には紗奈のような肉体はもちろん強い精神力はなかった。孤独に苛《さいな》まれ、夜の街に出た千鶴はダンス好きの男女と知りあう。彼らは千鶴を瑛里華だと思い込み、後日別の店に連れて行くが、偽者とばれてしまい、その場にいた半グレたちに性的暴行を受けた後に殺され遺体を焼却されてしまう。それを知った紗奈の凄絶な復讐《ふくしゅう》を描いたのが本書なのだ。

冨米野島から一度は救った千鶴が、自分と同じ顔をしていたことが原因で命を失ってしまう。紗奈は千鶴が生きていく手助けをしたつもりでも、実はアリバイ作りなどで体《てい》よく使っていたのではないかという後悔に苛まれる。本書の魅力の一つは、紗奈の名を捨ててからあまり描かれなかった、彼女の内面に筆が割かれているところにあるだろう。

第二の魅力は紗奈にハンデを負わせたことである。これまでの紗奈はゲームの無敵モードのように、完璧《かんぺき》な心身でワルたちと闘っていた。だが今回はある男との対決で重傷を負ってしまう。その状態でクライマックスの決戦に挑むのだ。しかも今度は不良高校生や半グレ、下っ端ヤクザではなく、正真正銘の武闘派を率いるヤクザ一家が相手なのだ。

「ゴミは」紗奈はつぶやいた。「土に還ってよ」

この言葉を放ち、紗奈は最後の闘いに挑む。

そして……。

「死人は逮捕できない」という言葉を残して紗奈は刑事の前から姿を消す。含みのあるラストシーンだ。このシリーズはこの三部作で終わりなのだろうか。もう彼女には会えないのだろうか。

いや、不可能を可能にする作家。それが松岡圭祐《まつおかけいすけ》だ。いつの日か第二シーズンが幕を開けるのかも知れない。そしてファンならば誰もが思いつく、もう一つのシリーズとの合流もあるのではないか。遠からぬ将来、きっとその答えが出ることだろう。

悲しみを秘めた殺戮少女、江崎瑛里華こと有坂紗奈。彼女の凄絶な人生が体感できるシリーズをお楽しみ下さい。

本書は書き下ろしです。

この物語はフィクションであり、登場する個人・団体等は、現実と一切関係がありません。

J《ジエー》K《ケー》Ⅲ

松《まつ》岡《おか》圭《けい》祐《すけ》

令和5年 12月25日　初版発行

発行者●山下直久

発行●株式会社KADOKAWA
〒102-8177　東京都千代田区富士見2-13-3
電話　0570-002-301（ナビダイヤル）

角川文庫 23947

印刷所●株式会社暁印刷
製本所●本間製本株式会社

表紙画●和田三造

ISBN 978-4-04-114563-0　C0193

◇◇◇

角川文庫発刊に際して

角川源義

第二次世界大戦の敗北は、軍事力の敗北であった以上に、私たちの若い文化力の敗退であった。私たちの文化が戦争に対して如何に無力であり、単なるあだ花に過ぎなかったかを、私たちは身を以て体験し痛感した。西洋近代文化の摂取にとって、明治以後八十年の歳月は決して短かすぎたとは言えない。にもかかわらず、近代文化の伝統を確立し、自由な批判と柔軟な良識に富む文化層として自らを形成することに私たちは失敗して来た。そしてこれは、各層への文化の普及滲透を任務とする出版人の責任でもあった。

一九四五年以来、私たちは再び振出しに戻り、第一歩から踏み出すことを余儀なくされた。これは大きな不幸ではあるが、反面、これまでの混沌・未熟・歪曲の中にあった我が国の文化に秩序と確たる基礎を齎らすためには絶好の機会でもある。角川書店は、このような祖国の文化的危機にあたり、微力をも顧みず再建の礎石たるべき抱負と決意とをもって出発したが、ここに創立以来の念願を果すべく角川文庫を発刊する。これまで刊行されたあらゆる全集叢書文庫類の長所と短所とを検討し、古今東西の不朽の典籍を、良心的編集のもとに、廉価に、そして書架にふさわしい美本として、多くのひとびとに提供しようとする。しかし私たちは徒らに百科全書的な知識のジレッタントを作ることを目的とせず、あくまで祖国の文化に秩序と再建への道を示し、この文庫を角川書店の栄ある事業として、今後永久に継続発展せしめ、学芸と教養との殿堂として大成せんことを期したい。多くの読書子の愛情ある忠言と支持とによって、この希望と抱負とを完遂せしめられんことを願う。

一九四九年五月三日

新刊予告

瑕疵《かし》借り

――奇妙な戸建て――

松岡圭祐

2024年2月25日発売予定

発売日は予告なく変更されることがあります。